JN110904

今さら聞けない!

世界史のキホンが2時間で全部頭に入る

プロ個別指導教室SS-1 副代表
中学受験情報局「かしこい塾の使い方」主任相談員
馬屋原吉博

すばる舎

はじめに

本書の特徴

本書を手に取ってくださったすべての方に御礼申し上げます。

この本は、文明の発祥から現代に至るまでの世界の歴史について、とにかく「分かりやすく」語ることを目指した本です。

はじめに本書の特徴を何点かご紹介します。

① タテに通して読みやすい！

世界史の学び方のオーソドックスなもののひとつに、「ヨーロッパ史」や「東アジア史」といったように、地域ごとに理解を深め、最後に統合するというものがあります。ただ、これには、最後の「統合」までたどりつかないと、世界史の面白いところのひとつである「横のつながり」の理解にまでたどり着きにくいという弱点があります。

この本は、とにかくタテに一気に読めるよう、各ページに鍵となる出来事をひとつずつ挙げ、それらが時系列順になるようにページを並べました。各ページの地域の続きの展開が気になる場合は、右ページ下にガイドを設け、跳べるようにしています。

② 地図が豊富！

歴史に触れる際は、できるだけ登場する地名が実際に地球上のどこに位置するかを確認したいものです。本書は110の項目から成り立ちますが、そのうち約7割に地図を掲載しています。直観的に理解しやすいビジュアルと共に理解を深めていきましょう。

③ 難しい言葉が少ない!?

実はこれがいちばんの特徴かもしれません。何より、初めて世界史に触れる方に最終ページまでたどり着いていただきたいという思いをこめて、「引き算の思考」で執筆しました。

中学生でも最後まで読み切れる通史

もともと「世界史」は、初学者にとってハードルの高い科目です。世界史を深く理解するためには、世界地理はもちろん、政治・経済・軍事・哲学・宗教・芸術など、幅広い分野の知識が要求されます。

かつ、小・中学校で一部は触れるとはいえ、本格的に教科として登場するのは高校からです。それはすなわち大学入試で利用されるということであり、「はじめまして」の時点で覚えるべきことが相当多く提示される科目となっています。

それもあって、世界史に関する本を執筆されるのは、通常、社会人や大学生、高校生を相手に教鞭をとっていらっしゃる先生方が多く、「分かりやすさ」を売りにした本でも、ページを開いた途端に圧倒されるほど、難しそうな言葉が並んでいる本が散見されます。

かといって、本当に読みやすそうな本を探してみると、今度は雑学に寄ったものが多く、歴史の全体像を提示してくれるものはなかなか見当たりません。

私自身は、かつて塾で高校生に世界史を教えていた経験もありますが、現在は主に中学受験を志す小学生の指導にあたっています。そのため、いわゆる「世界史の専門家」ではありません。

とても多くの方に手に取っていただいている拙著『今さら聞けない！政治のキホンが2時間で全部頭に入る』のシリーズ本として本書の執筆のお話を頂戴したとき、自分でも提供できる価値はなんだろうかと考えて出した結論は、**「中学生でも最後まで読み切れる通史の本」**を形にすることでした。

必修範囲が狭まった世界史

この本を書くきっかけとなった出来事のひとつに、2022年度から施行される高校のカリキュラム変更があります。

これまで必修となっていた「世界史A/B」がなくなり、新たに「歴史総合」という科目が必修化されます。「歴史総合」は日本史と世界史の要素を合わせ、近現代と呼ばれる時代を重点的に学ぶ科目です。

より深く世界史を学びたい生徒は「世界史探究」という科目を履修することになりますが、こちらは選択科目です。

生徒が日本史に触れずに高校を卒業することがないようにすることや、海外でも活躍できる人材を育成するにあたって近現代史に精通しておくことの重要性は十分理解できます。ただ、この先、世界がどのような経験をして近現代まで至ったかに触れることなく高校を卒業される方は間違いなく増えていきます。

そんな方が、ふと産業革命や市民革命が起こる前の世界に興味を抱いたときの手助けになることができれば、執筆者としてこれ以上の喜びはありません。もちろん、学校で本格的に学ぶ前に下地を作っておきたい中高生の皆様にも役に立てていただけるはずです。まず、おぼろげながらでも全体像を把握できた方が、その後の学びをスムーズに進められる方には特にお勧めします。

ただ、本書の執筆にあたっては、「分かりやすさ」を追求するため、高校の教科書に登場するレベルの用語や概念、エピソードの中にも省いたものがたくさんあります。本書を手に取ってくださった方におかれましては、ぜひ、この本を入り口として、もっともっと詳しい本に挑戦していただけると嬉しく思います。

「世界」への入り口

冒頭でも申し上げました通り、世界史を深く理解するには、地理や文化を筆頭に、歴史以外の分野の知識が多く必要となります。ただ、それは裏を返せば、それだけ広い分野の知識に触れるきっかけになるということです。

文明が生まれた時代を追っていくと、「文字」や「言語」についての理解を深めたくなりますし、繰り返される大帝国の興亡を見ていくと、各時代の権力者が、どのようなシステムで広大な地域を支配しようとしたのか、すなわち「政治」というものに興味をひかれます。

本書は、それぞれの時代に各地をどんな勢力が支配していたかを重点的に追っているため、「文化」や「芸術」については必要最低限しか触れていませんが、それらも世界史を構成する重要な要素です。

世界史を、そして現在の世界を理解するためには、「宗教」や「哲学」に関する知識も必須となるでしょうし、資本主義や社会主義について学ぶ際は、「経済」の基本的な知識に触れることになります。

ここに挙げたのは「世界史」に関わるほんの一部の要素に過ぎません。入り口さえ「おもしろい」という気持ちとともにくぐることができれば、こんなにも広い「世界」を私たちに提示してくれるのが「世界史」です。

それでは前置きはこのあたりにして、早速、世界の歴史の流れを追っていきましょう。人類最古といわれるシュメール人の文明から大国化する現在の中国まで、約5000年にわたる歴史の話の始まりです。

2021年10月

馬屋原吉博

CONTENTS

PART 2
ポリス世界の終焉とローマの躍進
【紀元前5世紀～紀元前1世紀】

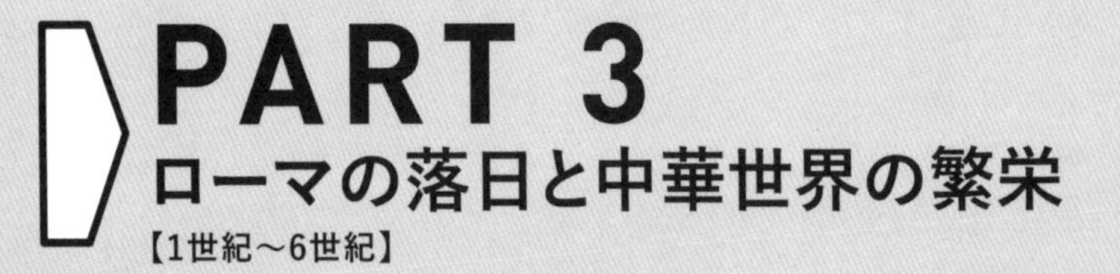

PART 3 ローマの落日と中華世界の繁栄
【1世紀～6世紀】

PART 4
イスラーム世界と西欧世界の成立
【7世紀～15世紀】

PART 5 近世ヨーロッパの発展【15世紀～17世紀】

PART 6 近代の到来とアメリカの独立
【17世紀～19世紀】

PART 7
世界を席巻する帝国主義
【19世紀～20世紀】

PART 8 初の世界大戦が残したもの
【20世紀】

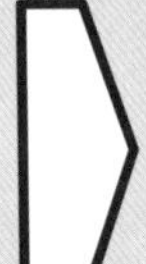

PART 9 防げなかった二度目の世界大戦

【20世紀】

PART 10
冷戦を経てなお対立は続く
【20世紀～21世紀】

ブックデザイン：小林祐司
図版：上出祥子／伊比 優

PART 1

文明の誕生

【約5000年前～紀元前5世紀】

人類は「文字」を手に入れることで、
詳細な情報を後世に伝えることを可能にしました。
ユーラシア大陸の西側、
「古代オリエント」と呼ばれる地域を中心に、
人類初期の王朝の歴史を見ていきましょう。

大河の間に生まれたメソポタミア文明

紀元前2340年頃、サルゴン1世がメソポタミアを統一

複数の都市国家を築いたシュメール人

「世界最古の文字」を刻んだシュメール人

現在の中東・イラク周辺、ペルシア湾に注ぐティグリス川とユーフラテス川に挟まれた地域を「メソポタミア」と呼びます。

治水や灌漑(かんがい)工事と引き換えに豊かな穀物を手に入れることができる地域であり、大規模な工事に多くの人手を動員できる「王」や、その拠点となる「都市」が、早くから発生したと考えられています。

今から約5000年前、「シュメール人」と呼ばれる人々が、この地域にいくつかの都市国家を作りました。

世界史における「文明」の紹介がシュメール人から始まるのは、**シュメール人が最古の文字「楔形(くさびがた)文字」を粘土板に刻んだから**というところが大きいかもしれません。

同じ時代を生きる人間とのコミュニケーションは「言語（音声）」だけでも成り立ちますが、時代を超えたコミュニケーションには多くの場合「文字」を必要とします。

楔形文字の記録は、彼らがすでに法典や文学を生み出していたことを現代の私たちに伝えています。**青銅器**や**太陰暦**、**60進法**、**曜日の概念**などがすでに存在していたことも確認されています。

アッカドの王・サルゴン１世

紀元前2340年頃、これらの都市国家群を統一する人物が現れます。アラビア半島の方からやってきたアッカド人の王・サルゴン1世です。ただ、アッカドの時代は長く続かず、その後、**再びシュメール人が勢力を取り戻した**と考えられています。

目には目を、歯には歯を バビロン第一王朝

紀元前1700年代、「ハンムラビ法典」成立

アムル人が築いたバビロン第一王朝

画期的だった「ハンムラビ法典」

メソポタミアは周辺に開けているため、支配する集団が入れ替わりやすい地域でした。

今から約4000年前、「アムル人」と呼ばれる遊牧民がメソポタミアに侵入し、シュメール人の王朝を滅ぼします。アムル人が築いた大都市バビロンを首都とする「バビロン第一王朝」、その6代目の王がハンムラビです。

彼がシュメール人の法をもとに編纂した「ハンムラビ法典」は、**「目には目を、歯には歯を」**というフレーズに象徴される同害報復の原則や、身分によって刑罰が異なるといった特徴で知られています。

ハンムラビ法典は、**「被害者に代わって国家が加害者を罰することで復讐の連鎖を断ち切り、治安を維持する」**という考え方が、すでに存在していたことを現代の私たちに伝えてくれます。

バビロン第一王朝の終焉

バビロン第一王朝は、紀元前1600年頃、青銅器よりも硬い**鉄製の武器**と、**馬に引かせる戦車**によって強大な軍事力を手に入れた「ヒッタイト人」によって滅ぼされました。

その後も複数の民族が押し寄せ、いくつかの王国が並び立つようになったメソポタミアの混乱は、紀元前1200年頃、地中海の方から「海の民」と呼ばれる系統不明の勢力が押し寄せることによって、ピークを迎えます。

この状況は、「最初の世界帝国」とも呼ばれる「アッシリア」が、メソポタミアを統一する紀元前700年頃まで続きます。

「ナイルの賜物」エジプト文明

紀元前 1200 年代、ラメセス 2 世が世界最古の平和条約を結ぶ

ラメセス2世時代のオリエント世界

ナイル川がもたらした豊かな文明

今から約5000年前、ナイル川流域、エジプトと呼ばれる地域にも文明が成立します。**大河が運ぶ肥えた土壌**の上に、ノモスと呼ばれる複数の小国家が発生し、やがてそれらを統一する国家が生まれました。統一国家の王はファラオと呼ばれました。

エジプト文明は、**「ヒエログリフ」**と呼ばれる文字や、それを記録する**パピルス紙**、太陽神ラーや冥界神オシリスを中心とする**宗教体系**、**太陽暦**やピラミッドなどの**巨大建造物**に彩られた、とても豊かな文明だったようです。

エジプトを支配したファラオの中でも特に有名なのが、ラメセス2世です。彼が即位したころのエジプトが抱えていた課題のひとつが、現在のトルコ付近に勢力を広げていたヒッタイトとの抗争でした。

先進的な外交手腕

紀元前1200年代後半、ラメセス2世はヒッタイトと繰り広げた「カデシュの戦い」後に、和平条約を結びます。**「世界最古の和平条約」**といわれるこの条約は、亡命者の引き渡しとそれに伴う寛大な措置の約束など、先進的ともいえる内容を含み、当時の国家間で行われていた「外交」のレベルの高さを現代に伝えるものとなっています。

ちなみに、世界遺産としても知られる「アブ=シンベル神殿」は、彼が自らと王妃ネフェルタリのために建てさせたものです。

古代エジプトの歴史はこの後も**千年近く続きます**が、やがて紀元前300年代に入ると、「アケメネス朝」と、それを滅ぼしたアレクサンドロス大王の支配下に入り、最終的には紀元前30年に**ローマの属州**となります。

交易とともに広がる新たな文字

紀元前1100年頃、海路を結んだフェニキア人と陸路を結んだアラム人

文字の拡がり

「海の民」の侵攻で変わる勢力図

紀元前1200年代、「海の民」と呼ばれる系統不明の集団が**地中海の東側で勢力を拡大**し、周辺世界に大きな影響を与えます。

海の民はヒッタイトを滅亡させ、ギリシアやエジプトの勢力も後退させたようですが、都市と都市を結ぶ広大な国家をつくることはありませんでした。そのため、主に**地中海東岸に空白地帯が生まれ**、ここに、海と陸での交易をそれぞれ担う「フェニキア人」と「アラム人」が活躍する舞台が整います。

地中海を用いた海上交易で勢力を拡大したのがフェニキア人です。フェニキア人が生み出したフェニキア文字は、このあとギリシア、そしてローマに伝わり、**ヨーロッパ世界の文字体系に多大な影響**を与えました。現代の英語のアルファベットのルーツでもあります。

多くの言語のもとになったアラム文字

一方、少し内陸に入ったところにある都市・ダマスクスを中心に、メソポタミアとエジプトと地中海を陸路で結んだのがアラム人です。

アラム人がフェニキア文字をもとに作ったアラム文字は、後の世界帝国「アケメネス朝」の公用語にもなったアラム語とともに広まり、アラビア文字に代表される**多くのアジアの文字の原型**となりました。

フェニキア文字やアラム文字は、楔形文字やヒエログリフに比べ、よりシンプルで文字数も少ないものでした。そのため、学びやすいのはもちろん、文字をもたない人々が自らの言語を表記するために新たに採用しやすいものでもあり、その後の**人類全体の文明化**に大きく貢献していきました。

「古代オリエント⑤」は32ページへ

王朝交代を正当化する「易姓革命」思想

紀元前1000年代、周の武王が牧野の戦いで殷の紂王を破る

最古の王朝・殷の支配領域

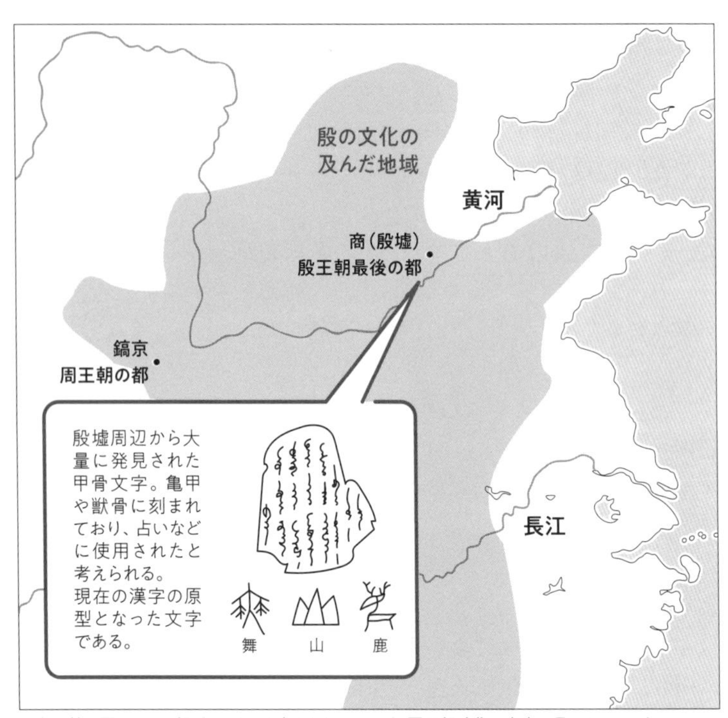

※殷の前に夏という王朝があったとも考えられているが、夏王朝時代の文字は見つかっていない。

殷王朝と周王朝

東アジアでも、今から約7000年前、黄河、そして長江という**大河の流域**に文明が生まれました。

「甲骨文字」による記録が残る最古の王朝は「殷」です。紀元前1500年代から約500年続いたとされる殷は、**城壁に囲まれた複数の都市の連合体**でした。青銅器はもちろん、十干十二支や貨幣の概念がすでに存在していたことが分かっています。

今から約3000年前、暴君として名高い殷の紂王を倒して成立したのが「周」王朝です。「牧野の戦い」で殷の軍を倒した周の武王は、自分の兄弟をはじめとする功臣たちに土地を与えていきます。

君主が臣下に領地を与えて治めさせ、貢納や軍役を課していく仕組みを「封建制」といいます。この仕組みは世界各地でみられますが、中世ヨーロッパの封建制が主に「契約」に支えられていたのに対し、周の封建制は主に「血縁」に支えられていたようです。

ただ、この血縁関係は年を経るにつれて疎遠になり、それとともに王権も弱体化していきます。紀元前770年、異民族の侵入を受けた周は都をうつし、**春秋・戦国時代**と呼ばれる戦乱の世が始まります。

繰り返される王朝交代

中国ではこの頃から「王は天が選ぶ」という考えが広まっていきました。正確には「徳を備えた一族を天が選ぶ」というわけですが、これは「王の一族が徳を失えば、天命が革(あらた)まり王の姓が易(か)わる」という王朝の交代を正当化する思想に至るものです。この「易姓革命」の思想を背景に、中国ではこの後も**頻繁に王朝の交代が繰り返されていきます。**

「東アジア②」は56ページへ

唯一神が支配する『旧約聖書』の世界

紀元前1000年頃、ヘブライ人の王・ダヴィデ即位

ヘブライ人のエジプト脱出

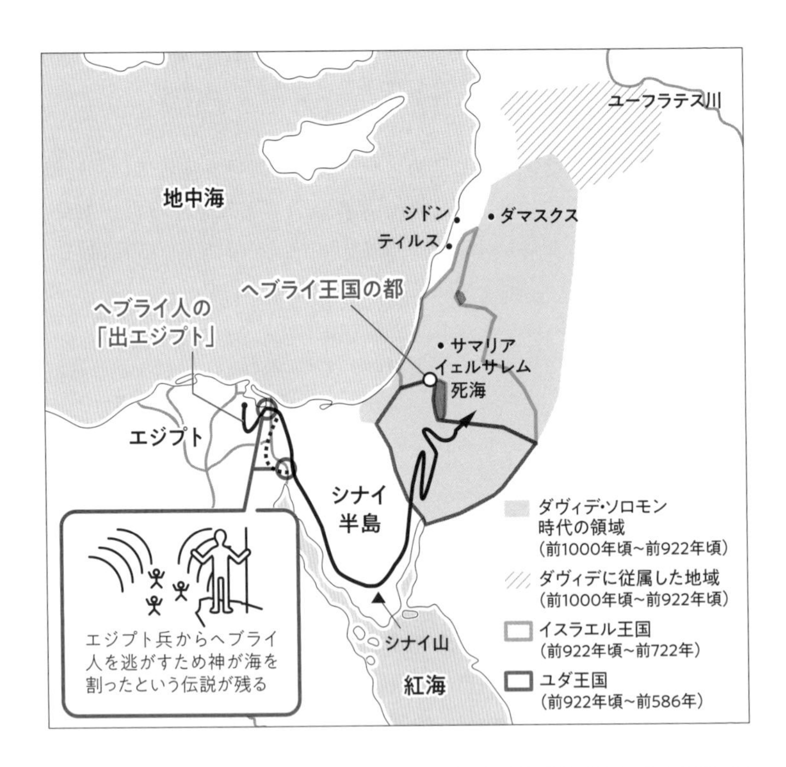

ユダヤ教の誕生

今から約3200年前の「海の民」の進出をきっかけとしてパレスチナ付近で力を伸ばした勢力がフェニキア人とアラム人の他にもうひとつあります。イスラエル人やユダヤ人とも呼ばれる**「ヘブライ人」**です。

もともとユーフラテス川の上流で遊牧生活を営んでいたと考えられるヘブライ人は、エジプト移住後、そこで迫害されるようになり、指導者モーセに率いられてエジプトを脱出します。

このあたりのストーリーは、ユダヤ教の聖典**『旧約聖書』**で詳しく語られるところです。ちなみに**「旧約」の「約」は「契約」の「約」**で、ヘブライ人の神がヘブライ人との間に交わした契約を指します。もちろんこれは、そのあと神がイエスを通じて全人類と交わした契約を「新約」とみなすキリスト教徒による呼び方です。

王国の興亡と「バビロン捕囚」

今から約3000年前、ヘブライ人は王政に移行します。2代目の王として即位したダヴィデは、イェルサレムを都としてパレスチナ全域を支配し、息子ソロモンの時代に王国は栄華を極めます。

しかし、ソロモンの死後、王国は北のイスラエル王国と南のユダ王国に分裂し弱体化。紀元前722年に北のイスラエル王国は「アッシリア」に滅ぼされ、南のユダ王国も紀元前586年頃「新バビロニア」によって征服されます。

このときユダ王国の住民は新バビロニアの首都バビロンに強制移住させられます。いわゆる**「バビロン捕囚」**と呼ばれるこの強制移住は、約50年間にわたって続きます。

「古代オリエント⑥」は36ページへ

「我らはヘレネス」ギリシア人の共通意識

紀元前700年代、ギリシア各地に都市国家「ポリス」誕生

ギリシア世界の拡大

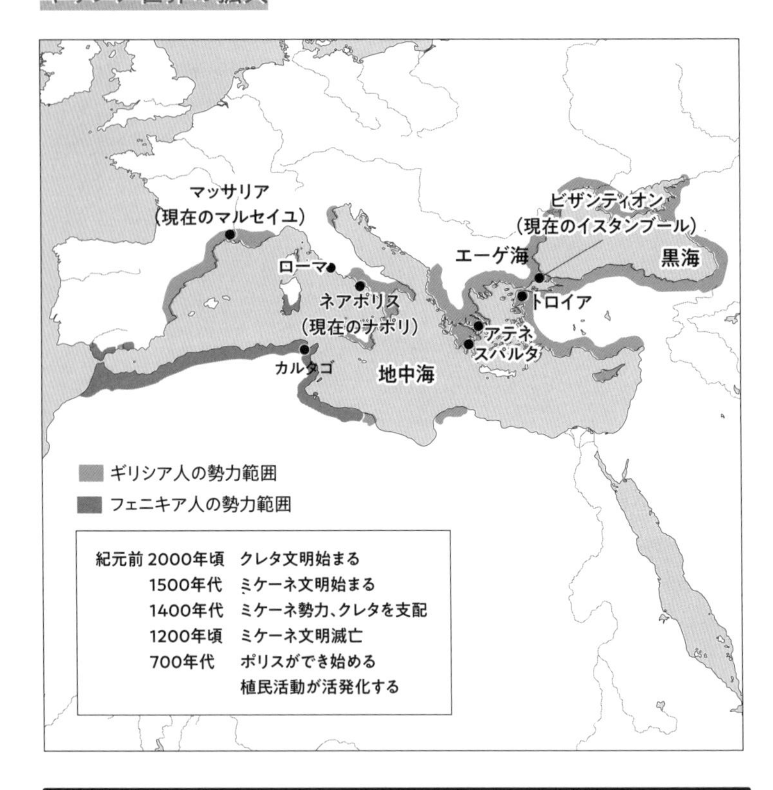

400年続いた「暗黒時代」

地中海の中でも、特にバルカン半島と現在のトルコに挟まれた海をエーゲ海と呼びます。この地域でも数千年前からクレタ文明やミケーネ文明といったいくつかの文明が発達しました。

紀元前1200年頃、「海の民」との直接の関わりは不明ですが、当時ギリシア本土で繁栄していたミケーネ文明が滅亡すると、その後約400年間、**文字史料が残されていない「暗黒時代」が続きます。**

ギリシア人たちをつないだもの

紀元前700年代になると、**「ポリス」**と呼ばれる都市国家が増えていきます。さらに、人口の増加に伴い、ギリシア人は地中海沿岸に広く植民を進めます。現在のイスタンブールやナポリ、マルセイユといった都市は、このころ作られた植民市です。

本国と対等な関係にあった植民市を含めると、1500ほどのポリスが存在したと考えられています。地中海を舞台に交易を展開していたフェニキア人との交流も増え、**フェニキア文字をもとにギリシア文字が作られました。**

メソポタミアや東アジアと異なり、ギリシアにはポリス群を統一する強大な国家が現れませんでした。しかし、それにもかかわらず、どのポリスの人々も**「ギリシア人」としての共通意識**をもっていたのは興味深いことです。ギリシア人は自分たちを「ヘレネス」、それ以外を「バルバロイ」と呼んで区別していました。

ギリシア人の共通意識は、ギリシア語やオリンポス12神に代表される共通の神々への信仰、さらには紀元前776年以降、開催され続けた**オリンピアの祭典**などによって醸成されていたと考えられています。

「ポリス世界②」は38ページへ

服属民に圧政を敷いた最初の「世界帝国」

紀元前600年代、アッシリアがエジプトを征服しオリエント統一

アッシリアの最大領域と滅亡後の世界

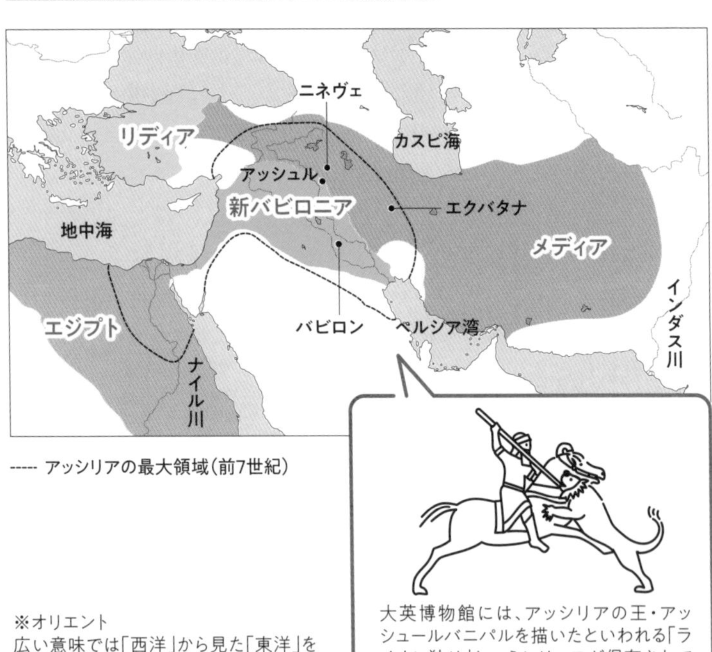

----- アッシリアの最大領域（前7世紀）

大英博物館には、アッシリアの王・アッシュールバニパルを描いたといわれる「ライオン狩り」というレリーフが保存されている。レリーフはもともとニネヴェの北宮殿に飾られていたもの。

※オリエント
広い意味では「西洋」から見た「東洋」を指す言葉。古代においては「西アジア・エジプト・東地中海岸から、メソポタミアを経てインダス川流域に至る地域を指して使われることが多い。

アッシリアによるオリエント統一

長らく複数の国家が乱立する状態が続いていたメソポタミアでしたが、紀元前800年代に入ると、他を圧倒する力をもつ覇権国家が現れます。**「最初の世界帝国」**とも呼ばれるアッシリアです。

「帝国」は様々な意味で使われる少し厄介な言葉ですが、古代においては「複数の民族を内包する広大な国家」くらいの意味で使われることが多いようです。

現在のイラク領内にあった都市アッシュルを中心にメソポタミア全域を支配下においたアッシリア人は、紀元前600年代にエジプトまで征服します。これを**「オリエントの統一」**と表現することもあります。

アッシリアの滅亡と次なる覇権国家

アッシリアはかつてない広範囲な帝国を維持するために、中央集権的な官僚制を整えるとともに、反抗的な周辺諸民族を強制的に移住させる政策をとりました。

アッシリアの圧政は服属民の反発を招きます。紀元前612年頃、メソポタミアで新たに勢力を拡大しつつあった新バビロニア王国と、イラン周辺を支配しつつあったメディア王国の連合軍の前に大敗を喫した**アッシリアはあっけなく滅亡**しました。

アッシリアが束ねていた地域は、新バビロニアとメディア、独立を回復したエジプト、そしてリディアという4つの強国によって統治される状態に突入しますが、その状態も長く続きません。すぐに次の覇権国家が現れます。アッシリアとは対照的に、服属した異民族に比較的寛容な姿勢をとったペルシア人の国家**「アケメネス朝」**の登場です。

「古代オリエント⑦」は40ページへ

アテネで進んだ平民の政治参加

紀元前594年、アテネにて執政官ソロンが改革に着手

ポリスの一般的な構造

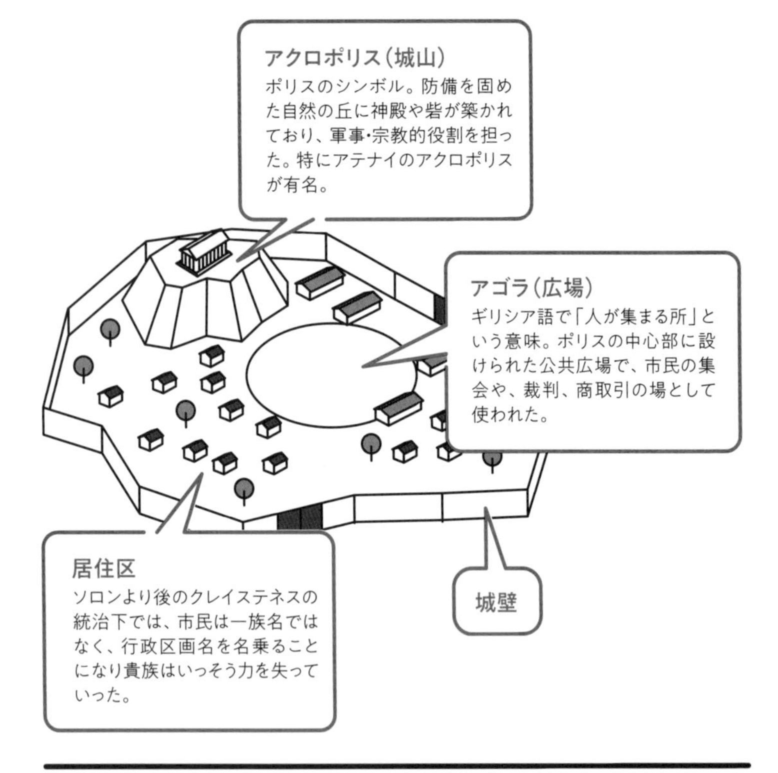

参政権はポリスのために戦う者に与えられる

アッシリアが滅んだころ、ギリシアでは、2大ポリスのひとつ・アテネでソロンという人物が政治改革を進めていました。**「民主主義」のルーツ**ともいわれるアテネの民主政について少し見てみましょう。

ポリスには古くから「ポリスのために戦う者が政治に関わる権利をもつ」という思想がありました。戦場で必要となる武器は自分で用意することになっていたため、戦場の主力が騎兵だった時代は、馬まで準備できる「貴族」が政治を独占していました。

やがて重装歩兵を中心とした戦術が広まっていくと、歩兵として戦争に参加できる**「平民」が参政権を求めて貴族と対立**するようになります。ソロンは、平民が財産に応じて一定の参政権を得る仕組みを作ることで、この対立を収めようとしたようです。

債務奴隷禁止の狙い

また、ソロンの時代は、借金を抱え**「平民」から「奴隷」に転落する人々**の増加も問題視されていました。

奴隷は自分で武器を用意して戦場に行くことができないため、この状況を放置するとポリスの軍事力が低下していきます。その問題を解決するため、ソロンは、借金を返せない市民を奴隷として売ることを禁止したと伝えられています。

このあたりの理屈は、このあと登場する古代ローマの社会とも共通するところですので、覚えておきましょう。

さて、アテネに代表されるギリシアのポリス群は、紀元前500年頃、オリエントを統一した帝国「アケメネス朝」による侵略という危機を迎えます。3度にわたる**ペルシア戦争**の始まりです。

「ポリス世界③」は48ページへ

服属民に寛容だった新たな大帝国

紀元前 525 年、アケメネス朝がエジプトを征服しオリエント統一

広大な領域を征服したアケメネス朝

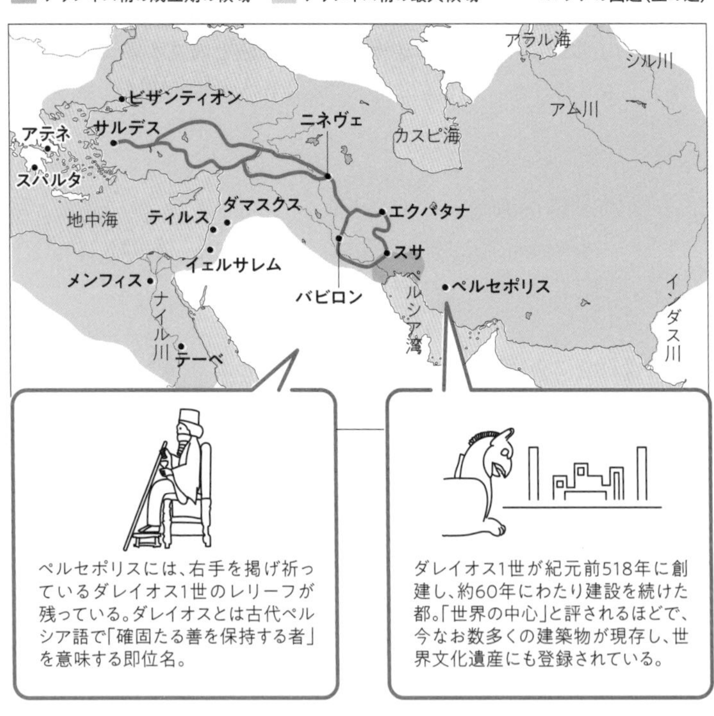

ペルセポリスには、右手を掲げ祈っているダレイオス1世のレリーフが残っている。ダレイオスとは古代ペルシア語で「確固たる善を保持する者」を意味する即位名。

ダレイオス1世が紀元前518年に創建し、約60年にわたり建設を続けた都。「世界の中心」と評されるほどで、今なお数多くの建築物が現存し、世界文化遺産にも登録されている。

3代で史上空前の大帝国が築かれる

最初の世界帝国・アッシリアは紀元前612年頃滅亡しますが、それから100年も経たないうちに再び大帝国が現れます。**「アケメネス朝」**と呼ばれるイラン系ペルシア人の王朝です。

アケメネス朝は紀元前539年に新バビロニアを征服し、ユダヤ人を「バビロン捕囚」から解放、さらに紀元前525年にはエジプトまで征服し、オリエント全域の統一に成功します。

しかし、アケメネス朝の拡大はそこで終わりません。3代目の王ダレイオス1世は北西インド、インダス川の手前まで領域を拡大し、**かつてない規模の大帝国**を築きます。

ダレイオス1世は帝国を複数の州に分け、「サトラップ」と呼ばれる知事に支配させました。さらに、強大な権限をもつサトラップの反乱を防ぐため、「王の目」「王の耳」と呼ばれる監察官を使って、彼らの動向を監視したと伝えられています。

寛容な政策で長期間存続

また、フェニキア人やアラム人といった交易を担う人々の保護や、各地の大都市を結ぶ**「王の道」**の整備といった政策も積極的に実施します。強圧的な政策で周辺民族に憎まれたアッシリアとは対照的に、周辺民族には比較的寛容な政策をとったとも伝えられています。

人類が広大な地域を支配する中央集権的な仕組みを洗練していったひとつの成果として、アケメネス朝の栄華は約200年続きます。この栄華に陰りをもたらした要因のひとつは**「ペルシア戦争」**、すなわちギリシア世界との衝突でした。

PART 2

ポリス世界の終焉とローマの躍進

【紀元前5世紀～紀元前1世紀】

古代ギリシア・ポリス世界が力を失うと、
アレクサンドロス大王の東征が始まります。
一代で広大な帝国を築いた彼の死後、
地中海世界において覇権を握ったのは、
イタリア半島に生まれた都市国家ローマでした。

イタリアに誕生した君主不在の都市国家

紀元前 509 年、ローマにて「共和政」が始まる

前264年頃のローマ領と政治の仕組み

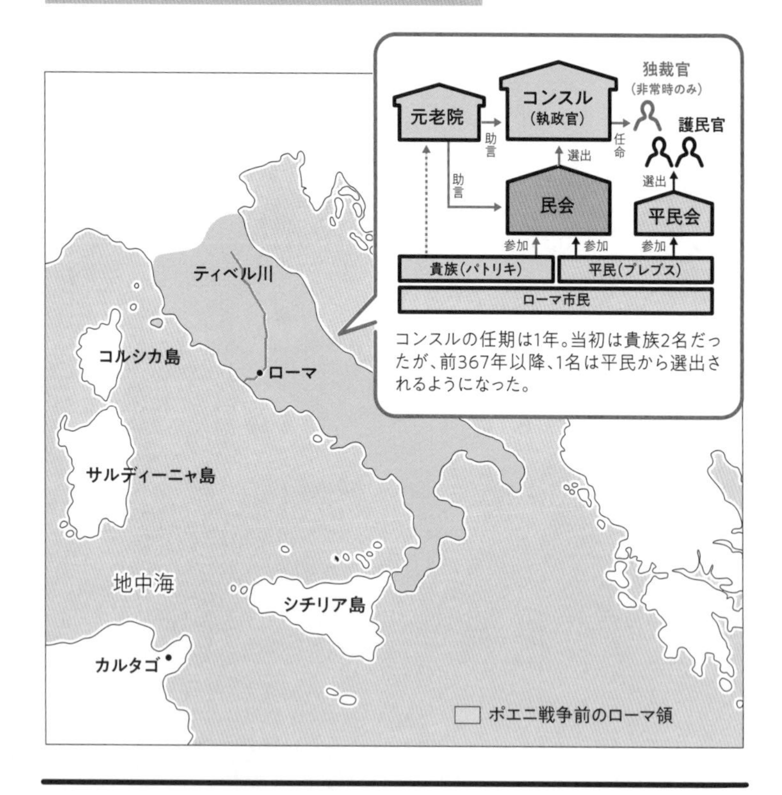

ローマから生まれた新たな政体

オリエントでアケメネス朝がかつてない規模の帝国を築いていたころ、西方ではギリシアのポリス群とは異なるもうひとつの**「共和政」**の都市国家が誕生します。ローマです。

ラテン人が作ったローマは、しばらく他民族の支配を受けていたようですが、紀元前509年に他民族の王を追放したことで、君主をもたない政体＝共和政に移行したと考えられています。

ちなみに、「ラテン」ということばは世界史を学ぶ上でしばしば目にしますが、**「ローマの」という意味で使われている**ことが少なくありません。

ローマはギリシア文化の影響を受けており、ギリシアのポリスと同じように、軍の主力が騎兵から重装歩兵に移り変わっていくにつれて、貴族と平民の対立が激しさを増していきます。

元老院と執政官が政治を動かす

ローマの政治は、主に貴族から選ばれる「コンスル（執政官）」と、貴族の長老や官職経験者で構成される**「元老院」**によって進められていました。

やがて、コンスルや元老院の決定に拒否権を行使できる「護民官」や、平民で構成される「平民会」が設けられ、徐々に**平民の政治参加**が認められていきます。ただ、ギリシアに比べると、ローマの共和政は少数の貴族の権力が大きいものだったようです。

共和政に移行してから約250年かけてイタリア半島を統一したローマは、やがて、地中海の対岸にあるフェニキア人の都市カルタゴと衝突します。3度にわたる**「ポエニ戦争」**の開幕です。

「古代ローマ②」は 58 ページへ

社会構造の変化が新たな宗教を求めた

紀元前 500 年頃、ブッダが解脱の道を説く

アーリア人の移動と身分制度

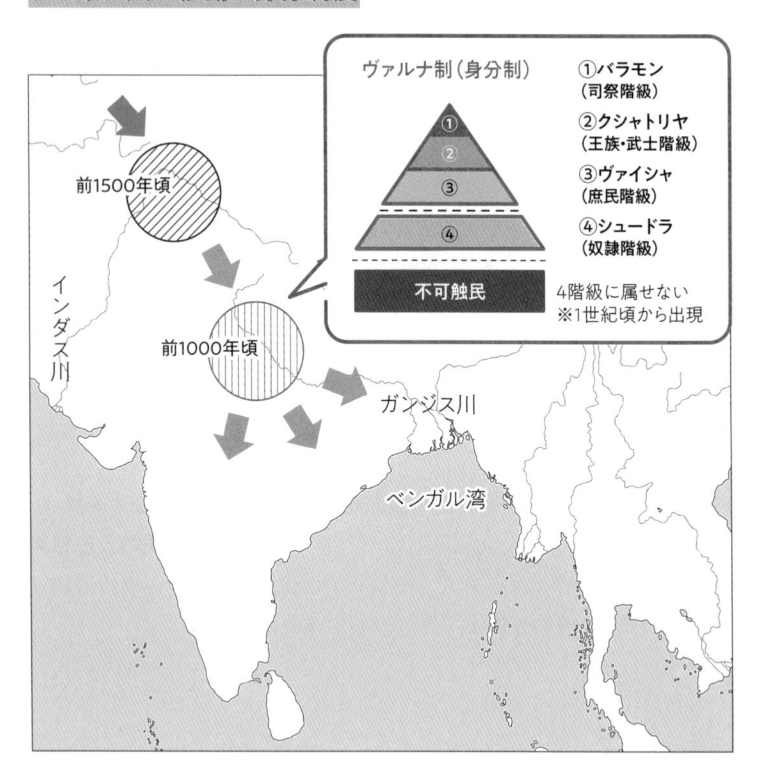

アーリア人の進出とヴァルナ制

オリエントでアケメネス朝が栄華を極め、都市国家ローマが共和政に移行したのと同じころ、インドで後に**世界宗教のひとつとなる宗教**が生まれます。仏教です。

インドでは、約4600年前、北西のインダス川流域に四大文明のひとつに数えられる文明が誕生しました。この**インダス文明**は、400字前後残されているインダス文字がまだ解読されていないこともあり、今後の研究の進展が待たれる文明です。

それから約1000年後、中央アジアからアーリア人と呼ばれる人々がインドに移動してきます。バラモン教という宗教や、後のカースト制度につながる身分秩序**「ヴァルナ制」**で知られるアーリア人は、やがて複数の都市国家をつくり、社会を発展させていきます。

仏教の誕生

ヴァルナ制は、バラモンと呼ばれる司祭を頂点とする身分秩序でした。しかし、社会の発展に伴い、クシャトリヤと呼ばれる武士階層やヴァイシャと呼ばれる庶民階層が力をもち始めると、**バラモン教に代わる新たな信仰**が求められるようになります。

年代については諸説あって定まっていませんが、紀元前500年頃、バラモンの権威や祭式を否定し、人の悩みを心の内面から解いていく姿勢を説いたのがシャカ族出身のクシャトリヤ、**ガウタマ=シッダールタ**でした。ブッダとも呼ばれる人物です。

生前の行いによって死後に別の生を受ける輪廻転生からの解放、いわゆる「解脱」の道を説いたブッダの教えは、このあと形を変えながらアジア全体に広がっていきます。

「インド史概略」は68ページへ

オリエント世界とポリス世界の激突

紀元前500年〜前449年、ペルシア戦争

ギリシア世界とアケメネス朝の戦い

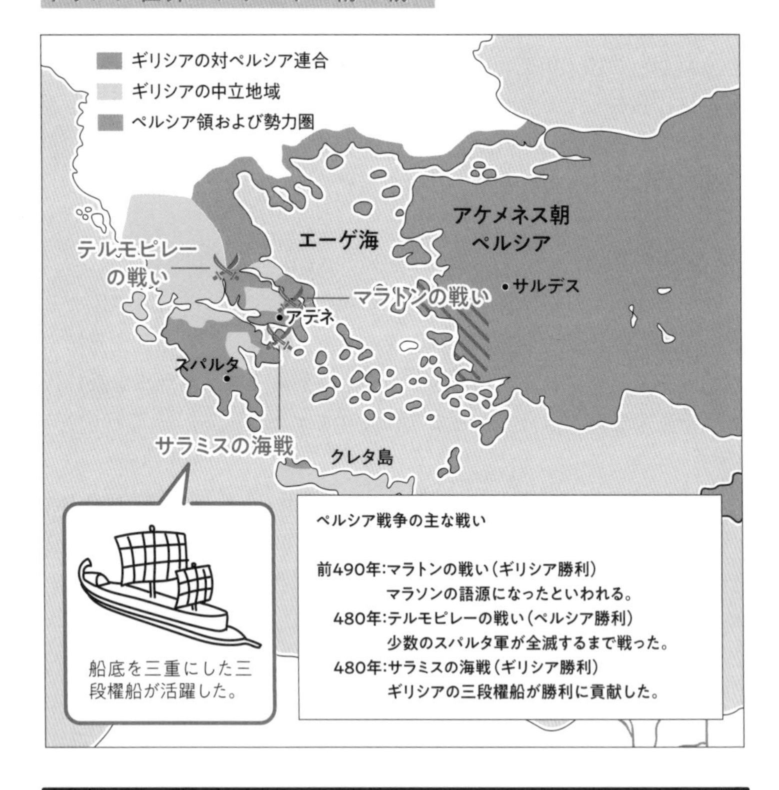

ペルシア戦争はアテネの民主化をさらに進めた

紀元前500年頃、アテネやスパルタといったギリシアの諸ポリスと、オリエントを制したアケメネス朝ペルシアの間の緊張が高まり、ついに戦争の火ぶたが切られます。

紀元前500年から約50年間にわたって三度計画されたペルシア軍の侵攻を、ギリシアは多大な犠牲を払いながらはねのけます。

この戦争はその後のギリシア社会に大きな影響を与えました。そのひとつは、それまで武器を自分で用意してポリスのために戦うのが難しかった下層市民が、海戦で船の漕ぎ手として活躍したことで、**政治的な発言権を増していった**ことです。

こういった勢力からも支持されたと考えられる民主派の指導者・ペリクレスのもとで、アテネは絶頂期を迎えます。青年男性市民であれば誰もが参加できる「民会」が定期的に開かれ、政治は多数決で進められました。女性や奴隷、外国人の参政権は認められていなかったとはいえ、当時の世界においては、かなり徹底された**「民主政」が実現していた**といえます。

アテネとスパルタの対立

さて、ペルシア戦争に勝利したとはいえ、アケメネス朝の脅威がなくなったわけではありません。そのため、アテネは周辺のポリスと共に**「デロス同盟」**という同盟を結成し、その盟主として勢力を拡大していきます。

このアテネの勢力拡大が、今度はギリシア内部での対立を引き起こすことになりました。ギリシアを代表するもうひとつの大ポリス、**スパルタとの対立**です。

ポリス世界は弱体化しマケドニアの支配下へ

紀元前431年～前404年、ペロポネソス戦争

アテネとスパルタの戦い

2つの同盟の対立が戦争に発展

デロス同盟の盟主・アテネの勢力拡大を受けて、アテネのライバルであったもうひとつの大ポリス・スパルタも、周辺のポリスと共に**ペロポネソス同盟**を結成します。

紀元前431年、この2つの同盟の対立が、ついにギリシア世界を二分する戦争に至ります。**「ペロポネソス戦争」**です。

この戦争は、感染症の流行や民主政の腐敗によって苦しんだアテネの降伏という形で終わります。ただ、ポリス間の抗争はそのあとも続きます。裏には対立を煽るアケメネス朝の暗躍もあったようです。

紛争の継続は、武器を自分で用意し、ポリスのために無給で戦い続けてきた**市民の没落**につながります。彼らに代わって登場した、金のために戦う傭兵の増加は、「ポリスのために戦う市民たちの共同体意識」が失われていくことを意味していました。

マケドニア王国の伸長

このようにして弱体化していくポリス世界を尻目に、バルカン半島の北方で勢力を拡大していった国がありました。一定の領土をもつ国として、ポリス世界とは少し異なる成長を遂げていたギリシア人の国・**マケドニア王国**です。

紀元前338年、カイロネイアの戦いで、マケドニアの軍が当時の有力ポリスの連合軍を破った結果、多くのポリスがマケドニアの支配下に入ります。

さて、このカイロネイアの戦いは、マケドニアの王子の一人が初陣を飾った戦でもありました。彼の名は**アレクサンドロス**、ギリシア世界の王としてアケメネス朝に復讐を果たすことになる人物です。

大王の遠征による東西文化の融合

紀元前 334 年、アレクサンドロス大王が東方遠征開始

アレクサンドロス大王の最大版図

アレクサンドロス3世の即位

紀元前338年、カイロネイアの戦いで初陣を飾った一人の青年がいました。父王が家庭教師として招いたアリストテレスからギリシア学問を教わっていたその青年は、父王が部下に暗殺されると**「アレクサンドロス3世」**としてマケドニア王に即位します。

紀元前334年、長年にわたってギリシア世界の脅威となっていたアケメネス朝ペルシアを討つべく、彼の**東征**が始まります。

彼の軍は、紀元前331年にアケメネス朝の首都ペルセポリスを焼き払った後もさらに東に進みました。最終的に**インド北西部、インダス川**まで至ったところで軍の疲れがピークに達したようで、彼の東征はそこで終わりを告げます。

その後、若き大王を病が襲います。アレクサンドロス3世は安定した大帝国を築くことができないまま、32歳の若さで死去、彼が征服した広大な領土は**3つに分割**されることとなりました。

東征の影響

しかし、彼の大規模な東征はその後のオリエント世界に大きな影響を及ぼしました。彼が持ち込んだギリシアの文化とオリエントの文化が互いに影響を与え合う**「ヘレニズム時代」**は、このあとローマが覇権を握るまで約300年続きます。あの有名な「ミロのヴィーナス」は、このヘレニズムの文化を代表する彫刻です。

彼の東征はギリシア語も広めました。ギリシア語は「共通の」という意味をもつ「コイネー」と呼ばれ、ヘレニズム世界の国際共通語となりました。後の世界に大きな影響を与えるキリスト教の聖典**『新約聖書』**も、このコイネーを使って書かれたようです。

COLUMN

大王亡き後のオリエント（紀元前3世紀）

分割された王朝の顛末

アレクサンドロス大王亡きあと、ディアドコイ（後継者）と呼ばれる将軍たちの争いを経て、大王の領土は**3つに分割**されます。

ギリシア付近では紀元前276年に**アンティゴノス朝マケドニア**が興ります。この王朝は紀元前168年にローマに滅ぼされるまで続きます。

エジプト方面では紀元前304年に**プトレマイオス朝エジプト**が興り、首都アレクサンドリアを中心に繁栄します。こちらも、紀元前30年、女王クレオパトラ7世が自殺し、ローマの属州となるまで続きます。

地中海の東岸からインダス川付近に至る、広大な地域を支配したのが**セレウコス朝シリア**です。セレウコス朝も紀元前64年にローマによって滅ぼされ、属州シリアとなります。

分割された大王領土

永きにわたって存続したパルティア

結局、3つの王朝はすべてローマの支配下に入ったわけですが、その前、紀元前240年前後にセレウコス朝から独立して、イラン高原からメソポタミア地方までを支配した**アルサケス朝パルティア**は、ローマにとって長年の脅威となり続けました。

パルティアは、西ではローマと、東では北インドのクシャーナ朝などとの抗争を続けながら、**シルクロード**とも呼ばれる東西交易路を押さえて繁栄した遊牧系イラン人の王朝です。こちらの繁栄は、西暦226年に農耕系イラン人のサザン朝ペルシアに滅ぼされるまで、約500年の長きにわたって続きます。

複雑なところではありますが、このあたりが頭に入っていると、ローマを中心とした西の動きと漢を中心とした東の動きの**「つながり」**が見えてきます。

2世紀のユーラシア大陸

戦国の世が終わり、秦・漢の時代が訪れる

紀元前221年、秦王が始皇帝を名乗る

秦の最大領域と陳勝・呉広の乱の進路

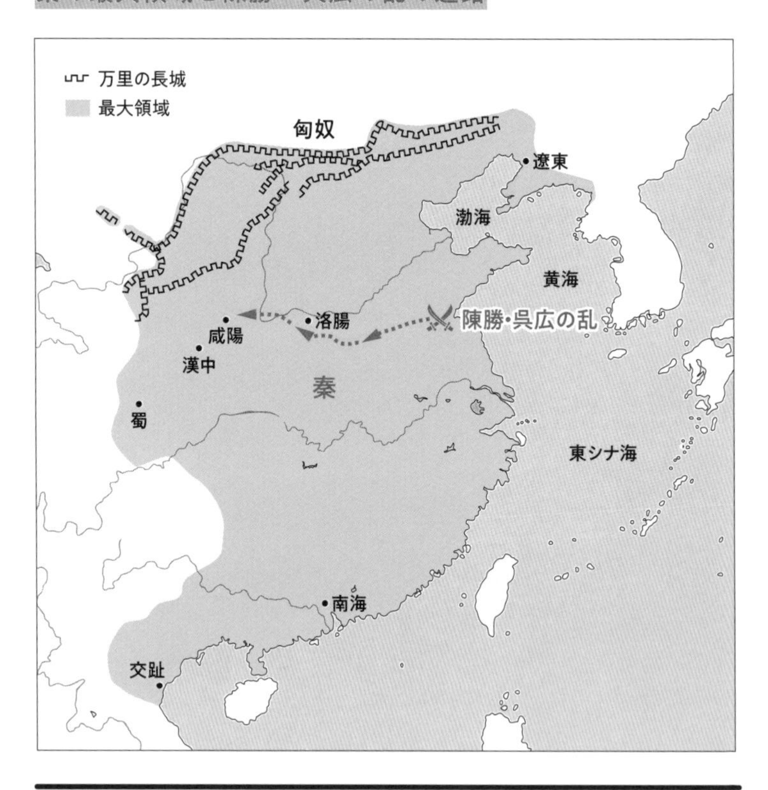

秦が戦国時代に終止符を打つ

アレクサンドロス大王が32歳の若さでこの世を去ってから約100年後、東アジアに初めての**「皇帝」**が誕生します。「皇帝」もまた時代や地域によって使われ方が異なる言葉ですが、ここでは国家や民族の枠を超えた、「世界」の支配者と受け取っておきましょう。

殷王朝を倒して勢力を拡大した周王朝でしたが、紀元前770年、王権のガタつきや異民族の侵入などによって都を遷さざるを得なくなり、中国は春秋・戦国時代という戦乱の時代に突入します。

約500年にわたって続いたこの時代に、約1800あったといわれる都市国家は、徐々に領土国家へと形を変え、やがて「戦国の七雄」と呼ばれる七国まで絞られていきます。**孔子**や**孟子**、**老子**といった「諸子百家」と呼ばれる思想家たちが登場したのもこの時代です。

紀元前221年、他の六国の平定に成功した秦王が「皇帝」を名乗ります。**「始皇帝」**の誕生です。中央集権的な官僚制を整えた彼は、北方の遊牧国家・匈奴との戦いに力を入れ、馬に乗った匈奴の軍を物理的に食い止めるために**「万里の長城」**を築きました。

三代限りで滅び去る大帝国

しかし、彼の強圧的な政治は長くは続きません。彼の死後、すぐに**陳勝・呉広の乱**という中国史上初の大規模な農民反乱が発生します。乱自体は鎮圧されましたが、それに乗じて挙兵した劉邦によって、紀元前206年、秦は滅ぼされました。劉邦は新たに「漢（前漢）」を興します。

さて、ちょうどそのころ、西方・地中海周辺では、イタリア半島を統一した**ローマ**が、宿敵カルタゴとの戦いを繰り広げていました。

「東アジア③」は70ページへ

共和政ローマ、地中海世界の覇者に

紀元前 146 年、ローマがカルタゴを滅ぼす

ポエニ戦争（前264年～前146年）

イタリア半島を制したローマ

アレクサンドロス大王が東征を進めていたころ、西方ではローマがイタリア半島を統一するべく戦争を繰り返していました。

ローマが都市国家の枠を越えて拡大していった理由のひとつは、**市民権の扱い方**にあったと考えられています。ギリシア世界が外国人の市民権を認めることに消極的だったのに対し、ローマは外国人にも一定の権利を認めていきました。

さらにローマは、外国人の権利を認める際、それぞれの権利に差をつけました。権利の拡大をエサに、ときに征服された者同士の対立を煽りながら、まさに**「分割して統治せよ」**の精神でローマは支配する領域を広げていきました。

やがてイタリア半島を統一したローマ。次の敵は、当時、地中海の西側を支配していたフェニキア人の植民市「カルタゴ」でした。

両軍が誇る名将の激突

ローマとカルタゴは紀元前264年から前146年まで、計3回にわたる**「ポエニ戦争」**を戦います。「ポエニ」とはローマ人の言語・ラテン語で「フェニキア人」を指します。特にハンニバル率いるカルタゴ軍とスキピオ率いるローマ軍が衝突した第二次ポエニ戦争は有名です。

ローマはカルタゴとの戦いを優位に進めながら、ギリシア世界、そしてオリエント・ヘレニズム世界にも進出していきます。

紀元前168年に、アレクサンドロス大王亡きあとバルカン半島周辺を支配していたアンティゴノス朝マケドニアを滅ぼしたローマは、いよいよ**「地中海世界の覇者」**といえる存在となっていきました。

カエサル、内乱に乗じ頭角を現す

紀元前49年、カエサルが元老院の命令に反しルビコン川を渡る

三頭政治下でのローマの版図とカエサルの生涯

三頭政治の成立と瓦解

征服戦争を続けるローマでは、戦争で手に入れた土地や奴隷が一部の富裕層に集中し、**市民間の経済格差**が大きくなっていきました。ギリシア世界と同じように、ローマにおいても、格差の拡大は軍や共和政の土台を揺るがすものとなっています。

紀元前133年頃から、ローマは有力な政治家同士が大量の血を流す**「内乱の1世紀」**を迎えます。剣奴スパルタクスによる大奴隷反乱が起きたのもこのころの話です。

ローマにおいて権力を握っていた「元老院」が存在感を示すことができずにいる中、ポンペイウス、クラッスス、そしてカエサルという3人の政治家が頭角を現します。3人は元老院に対抗するために手を組み**「三頭政治（第1回）」**を始めます。

しかし、この三頭政治も10年続きません。クラッススはパルティアとの戦いで戦死、ポンペイウスも元老院と組んでカエサルと対立するようになります。

「賽は投げられた」

紀元前49年、ガリア地域を征服してローマに戻ろうとしたカエサルが、元老院から届いた武装解除命令を無視して**ルビコン川を渡る**、すなわちローマの支配権をかけた内戦を始めることを決意したエピソードは、「賽は投げられた」というフレーズと共に語り継がれています。

内戦に勝利し、絶大な人気を背景に数々の改革を進めたカエサルは、紀元前44年、**終身独裁官**の地位に就きます。しかし、これを見て、王の誕生＝共和政の崩壊を危惧したブルートゥスらの手によって、同年、カエサルは元老院の議場で暗殺されてしまいました。

ローマは帝政に移行し最盛期を迎える

紀元前27年、オクタウィアヌスが元老院より「尊厳者」の称号を得る

パクス＝ロマーナ（ローマの平和）

オクタウィアヌスによる地中海統一

遺言状によってカエサルの相続人に指定されたのは、彼の養子であった**オクタウィアヌス**でした。

オクタウィアヌスは、女王クレオパトラ7世の治めるプトレマイオス朝エジプトを、彼女と組んだ政敵・アントニウスごと撃破。エジプトを属州化し、**地中海世界の統一**を成し遂げます。

権力の頂点に立ったオクタウィアヌスは、紀元前27年、元老院から**「アウグストゥス（尊厳者）」**の称号を得ます。共和政への脅威とみなされて暗殺された養父カエサルを意識してか、彼は皇帝を名乗ることはしません。「プリンケプス（市民の第一人者）」を自称し、元老院などの共和政上の制度を形式的には尊重します。しかし、実際は全政治権力が彼の手に収まったことから、紀元前27年以降のローマを**「帝政ローマ」**と呼ぶことが多いようです。

絶頂期にあった五賢帝時代

ローマが地中海世界において覇権を握ったここからの約200年間を、世界史では**「パクス＝ロマーナ（ローマの平和）」**と表現します。ローマの最盛期です。その中でも特に、96年から180年まで続いた5人の皇帝の時代を**「五賢帝時代」**と呼びます。

五賢帝の2人目にあたるトラヤヌスの時代にローマの版図は最大化します。西はブリタニア（現在のイギリス）から北アフリカ・エジプトを経て東はメソポタミアまで、まさに**「すべての道はローマに通ず」**という状態が実現しました。

ちなみに、五賢帝最後の皇帝、マルクス＝アウレリウス＝アントニヌスは、当時の中国・後漢の歴史書に登場する「大秦王安敦」と同一人物であると考えられています。

PART 3

ローマの落日と中華世界の繁栄

【1世紀～6世紀】

4世紀から本格化したゲルマン人の移動は
広大な帝国を維持しきれなくなっていた
ローマに致命的なダメージを与えました。
中華世界は漢や唐といった王朝の下で
それぞれ繁栄の時代を迎えます。

イエス、神の愛は万人に及ぶと説く

30年頃、イエス、ゴルゴタの丘にて刑死

イエス誕生の地とその来歴

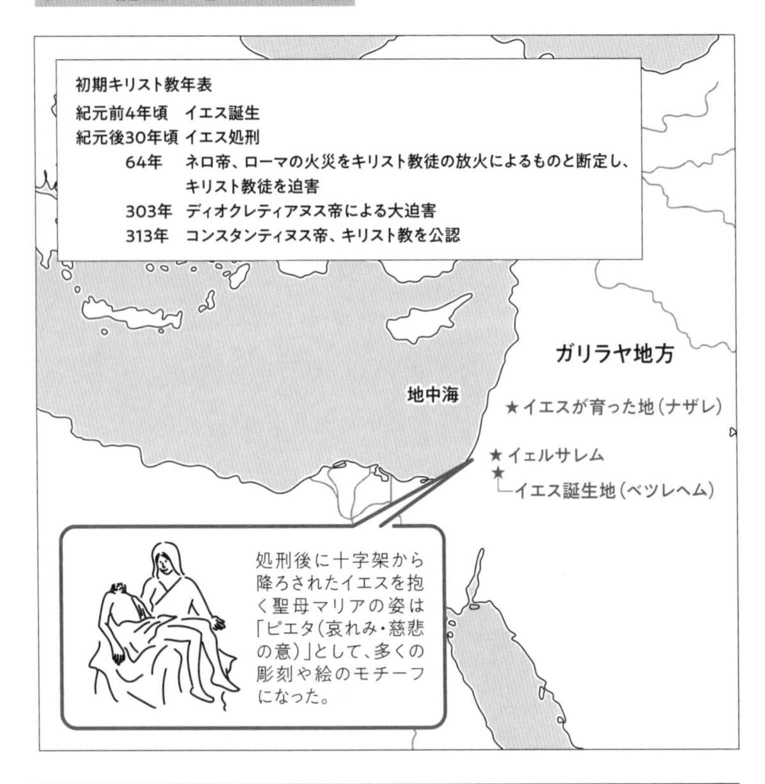

キリスト教が広まった理由

オクタウィアヌスの地位を継いだティベリウスの治世中、ユダヤ人が生活を営んでいた現在のイスラエル北部で、後の世界に多大な影響を与える人物が活動を開始します。キリスト教の創始者、**イエス**です。

紀元前537年頃、「バビロン捕囚」から解放されたユダヤ人は、そのあともアケメネス朝やセレウコス朝といった強国の支配を受け続けます。紀元前142年頃、一度ユダヤ人の王朝が復活しますが、これまたすぐにローマの干渉を受けるようになります。

そんな状況の中、**ユダヤ教の宗教指導者たちを批判**しながら頭角を現したのがイエスでした。「ユダヤ人の救済」を待ち望んでいたユダヤ人に対し、神の愛は万人に及ぶと説いたイエスは、一部のユダヤ人の憎しみの的となります。

彼はユダヤ人の手によって、ローマに敵対する者としてローマ人に引き渡され、西暦30年頃、**ゴルゴタの丘の上で磔刑**に処されます。

止まらない信者の拡大

しかし、イエスの教えは彼の死によって止まるものではありませんでした。彼の死後、その復活を信じる人々が活動を開始し、イエスの死は全人類の「原罪」を贖うものであったと説き、キリスト教が**世界宗教**となる礎を築いていきます。

イエスの12人の弟子の一人であったペテロや、迫害者から転向したパウロに代表される初期のキリスト教徒たちは、ネロやディオクレティアヌスに代表される何人かのローマ皇帝による苛烈な迫害の中で命を落としながらも、**直実にその数を増やしていきました。**

「古代ローマ⑥」は74ページへ

COLUMN

インド史概略（紀元前500年頃〜13世紀初め）

3世紀頃までのインド

ガウタマ＝シッダールタ（ブッダ）が活躍した紀元前500年頃のインドは、マガダ国に代表される多くの都市国家が乱立する地域でした。紀元前300年頃になると、インダス川周辺までたどり着いたアレクサンドロス大王がもたらした混乱の中で、**マウリヤ朝**という王朝が勢力を拡大します。

インド初の統一王朝といわれることもあるマウリヤ朝が130年ほどで衰退すると、今度はイラン系のクシャーン人が西方のパルティアと戦いながらインダス川流域に進出し、**クシャーナ朝**を興します。

3世紀まで続いたクシャーナ朝は、個人の悟りよりも衆生救済を重視し、戒律を緩やかにした**「大乗仏教」**を保護します。個人の修行、悟りを重視する「上座部仏教」が、スリランカを経由して東南アジアに伝わったのに対し、この大乗仏教は中国、そして日本に伝わります。

クシャーナ朝の隆盛（2世紀頃）

13世紀頃までのインド

3世紀に**ササン朝**の圧力を受けてクシャーナ朝が衰退したあとの北インドに生まれたのが**グプタ朝**です。

グプタ朝の時代には仏教の研究も進められますが、同時に、バラモン教に様々な民間信仰が混入しながら形作られていった**ヒンドゥー教**がインド社会に浸透していきました。

やがてグプタ朝は、「エフタル」と呼ばれる遊牧民の侵入などにより弱体化し、6世紀に滅亡します。その後、7世紀前半の**ヴァルダナ朝**の時代を経て、インドの北方は多数の地方政権が乱立する**「ラージプート時代」**に突入します。この「ラージプート時代」は、イスラーム勢力がインドに政権を打ち立てる13世紀初めまで続きました。

グプタ朝の隆盛(5世紀頃)

東西に大きな影響を与えた漢王朝

184年、黄巾の乱が後漢を崩壊に導く

2世紀頃のユーラシア大陸

劉邦が興し武帝が広げた漢帝国

ローマとカルタゴがポエニ戦争を戦っていた紀元前200年頃、始皇帝亡きあとの中国では、劉邦という人物が秦を滅ぼし、新たに**「漢」王朝（前漢）**を興します。

漢の第7代皇帝・武帝は、強大な皇帝権を背景に領土の拡大を図り、長年脅威となっていた北西の異民族・匈奴を東西に分裂させることに成功します。南部では現在のベトナム中部付近まで進出、東北部では朝鮮を支配下に置きました。

前漢は西暦8年にいったん滅びますが、25年には再び漢の皇族・劉秀が**後漢**を興し光武帝を名乗ります。光武帝は、倭（日本）の奴国の王の使者に**金印**を授けた皇帝でもあります。

ローマとの交流

1世紀後半に西域の経営を任された武将・班超は、部下の甘英を大**秦国（ローマ）に遣わします。**甘英は安息国（パルティア）を経て条支国（シリア）までたどり着いたものの、大海（地中海）を渡れずに引き返したという記録が残されています。ただ、地名の解釈には諸説あるようです。

また、こちらも真偽は定かではありませんが、166年には「大秦王安敦（ローマの五賢帝の一人・マルクス＝アウレリウス＝アントニヌス）」の使者を名乗る人物が**ベトナム中部にたどり着いた**という記録も残されています。

このように東西の交流も盛んだった漢帝国でしたが、2世紀後半に入ると急速に衰え始め、184年に起きた大規模宗教反乱**「黄巾の乱」**をきっかけに崩壊し、中国は「三国志」の時代を迎えます。

後漢の衰退とともに訪れた分裂の時代

208年、曹操、赤壁の戦いにて劉備・孫権の連合軍に敗れる

「三国志」の時代

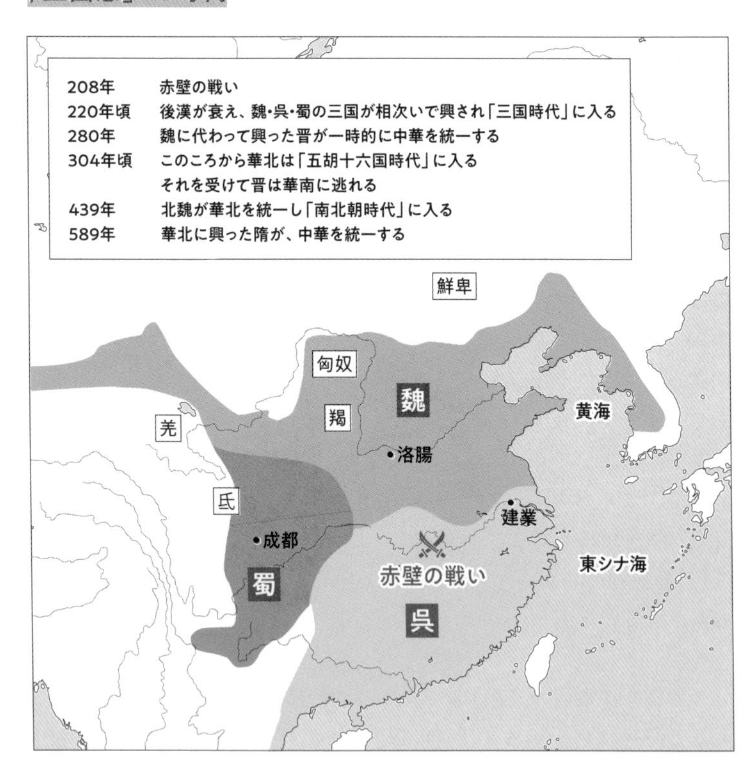

「三国志」の時代

前漢と後漢、あわせて約400年続いた漢が衰えると、中国は再び**分裂の時代**に突入します。この状態は**「隋」**が中華を統一するまで、こちらも約400年続きます。

力を失いつつあった後漢の皇帝を保護しながら、華北と呼ばれる黄河周辺の地域で勢力を伸ばしていったのが**曹操**です。後代に書かれた小説『**三国志演義**』に敵役として登場することで知られる人物です。

曹操は208年の**「赤壁の戦い」**で、後に**「蜀」**を興す劉備と、同じく後に**「呉」**を興す孫権の連合軍に敗れたこともあって、中華を統一することはできませんでした。

蜀・呉とともに天下を三分割することになる**「魏」**は、曹操の死後、彼の子が興した王朝です。ちなみに、魏の歴史書には、曹操の孫にあたる魏の二代皇帝に、当時の日本にあった**邪馬台国の女王・卑弥呼**が遣いを送ったとの記録が残されています。

隋による中華の再統一

その後、魏の国の実力者が新たに興した**晋**という王朝が一時的に中華を統一しますが、安定した状態は長くは続きません。4世紀に入ると華北では**北方の諸民族**が相次いで自立します。晋は華南への移転を余儀なくされ、やがて5世紀に入ると滅亡します。

この分裂の時代を最終的に終わらせたのは、楊堅という人物でした。**「隋」**を建国し、文帝を名乗った彼は、589年、ついに中華の統一に成功します。厩戸王（聖徳太子）が小野妹子を遣わした相手として日本史に登場する煬帝は、文帝の子にあたる隋の二代皇帝です。

「東アジア⑤」は80ページへ

古代ローマ⑥

混乱するローマに現れた2人の皇帝

313年、ローマ帝国がついにキリスト教を公認

帝国の重心は東に移動する

外敵からの攻撃にさらされるローマ

五賢帝時代が終わり3世紀に入るとローマは危機の時代を迎えます。**北方はゲルマン人**、**東方はササン朝ペルシア**の脅威にさらされ、征服ではなく防衛のための戦争が増えていきます。

外からの土地や奴隷の供給が滞り、社会が維持しにくくなったローマは、各地の軍人が入れ代わり立ち代わり皇帝を立てては倒されていく、**戦乱の時代**に突入します。

約50年続いたこの状態を終わらせたのが、284年に即位した**ディオクレティアヌス帝**です。彼は帝国を大きく4つに分け、自分を含む2人の正帝と2人の副帝で治めることで、一時的に秩序を回復します。

また、彼は皇帝権を強化するために帝位を神聖化しました。元老院が象徴する共和政の精神を尊重したオクタウィアヌス帝以降の「プリンキパトゥス（元首政）」に対し、共和政色を排除したディオクレティアヌス帝以降の政体を**「ドミナトゥス（専制君主政）」**と呼びます。

キリスト教を公認し安定を図る

彼に続いて即位したのが**コンスタンティヌス帝**です。キリスト教徒が無視できないほど増えた結果、彼は313年に**キリスト教を公認**します。混乱する帝国を、伝統的なローマの神々を捨ててまでして、なんとか安定させようとしていたことが分かります。

それに伴い、彼は330年に首都をうつします。伝統宗教の残るローマに代わって新たな首都とされたのはコンスタンティノープル、黒海と地中海の境目に位置する現在のトルコのイスタンブールでした。このようにして**帝国の重心は東方に移動**していきます。

明暗が分かれた2つのローマ帝国

395年、ローマ帝国が東西に分裂

ゲルマン系諸部族に蹂躙されるローマ帝国

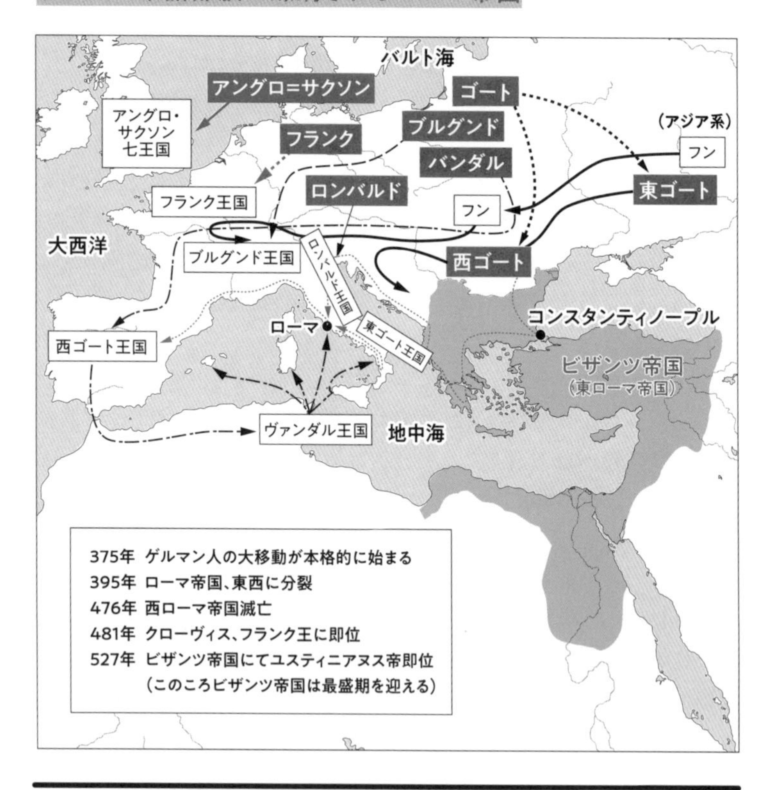

大移動に飲み込まれていく帝国

コンスタンティヌス帝の数々の改革にもかかわらず、帝国が安定を取り戻すことはできませんでした。やがて外敵との戦いの中で**皇帝が相次いで戦死**するという事態にまで至ります。

375年になると、帝国の北方と西方にいたゲルマン人の諸部族が帝国領に相次いで押し寄せるようになります。この「**ゲルマン人の大移動**」は、その後約200年にわたって続きます。

395年、もはや広大な帝国の維持は難しいと判断した当時の皇帝は、帝国を東西に分割し、2人の子に委ねます。しかし、少なくとも西においては時すでに遅く、476年、ゲルマン人の手によって**西ローマ帝国は滅亡**してしまいます。

西ローマ帝国があったところにはゲルマン人の国が複数できますが、その中でも徐々に存在感を増していったのが、現在のフランスやドイツがあるところに成立した「**フランク王国**」です。

東ローマ帝国はビザンツ帝国に

一方、コンスタンティノープルを中心に栄えた**東ローマ帝国**は、ササン朝との抗争を続けつつ、領土を広げていきます。都市としてのローマとの縁がほぼなくなり、ギリシア世界に広がることになった東ローマ帝国は、この後、首都・コンスタンティノープルの旧名、ビザンティウムにちなんで「**ビザンツ帝国**」と呼ばれることが増えていきます。

ビザンツ帝国は、地中海を舞台にした交易や、中国から伝わった絹織物業を中心に繁栄し、このあと発展していく西欧世界やイスラーム世界に押されながらも、最終的に1453年にオスマン帝国に滅ぼされるまで存続します。

「中世ヨーロッパ①」は90ページへ

COLUMN

西・中央アジア情勢（紀元前3〜7世紀）

ローマ帝国と中華帝国の狭間で

ここでいったん、ローマが興亡を繰り広げていたころの**西アジアから中央アジアの動き**に目を向けておきましょう。

54ページでも触れましたが、アレクサンドロス大王亡きあと、かつてアケメネス朝ペルシアの領土であった地域の多くは**セレウコス朝シリア**が支配するところとなりました。セレウコス朝は紀元前64年に、カエサルとともに第1回三頭政治を行ったポンペイウス率いる軍に滅ぼされます。

ただ、その前にセレウコス朝から独立を果たしていたイラン系の王朝・**アルサケス朝パルティア**は、西のローマ帝国と東の漢帝国をつなぐ交易で利益を上げながら繁栄を続けます。

2世紀のユーラシア大陸

覇権はペルシアからイスラームへ

3世紀になると、パルティアを滅ぼし、メソポタミアからインダス川付近までの広大な地域を支配するイラン系の王朝が登場します。**ササン朝ペルシア**です。ササン朝は、東ではインドのクシャーナ朝を服属させ、西ではビザンツ帝国との抗争を続けながら、6世紀に全盛期を迎えます。

ただ、ビザンツ帝国との長い抗争は、ササン朝の繁栄を支える東西を結ぶ交易ルートそのものを衰退させていきます。その代わりに交易に用いられるようになったのは、アラビア半島の西部を通る経路でした。そしてその地域には7世紀頃から**イスラーム**という新勢力が生まれていました。

642年にイスラーム軍との戦いに敗れたササン朝は、651年に滅亡し、以降、イラン周辺では急速に**イスラーム化**が進んでいきます。

5世紀のユーラシア大陸

※中国は南北朝時代（隋が統一する前の分裂の時代）。

隋・唐帝国のもとで中華は大いに繁栄する

589年、中央集権国家・隋が中国全土を統一する

中央アジアまで及んだ唐の最大版図

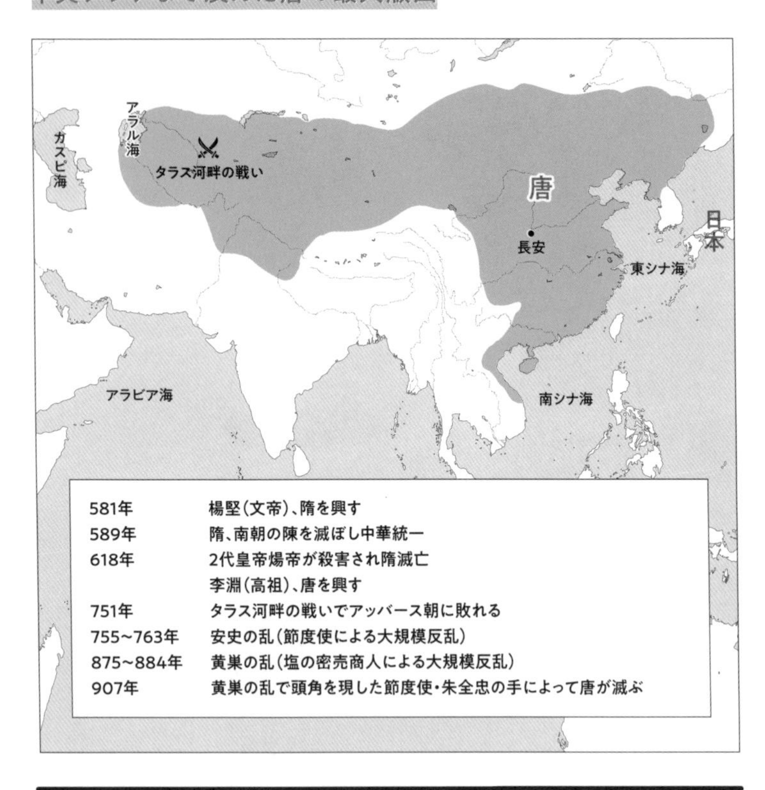

581年	楊堅(文帝)、隋を興す
589年	隋、南朝の陳を滅ぼし中華統一
618年	2代皇帝煬帝が殺害され隋滅亡
	李淵(高祖)、唐を興す
751年	タラス河畔の戦いでアッバース朝に敗れる
755~763年	安史の乱(節度使による大規模反乱)
875~884年	黄巣の乱(塩の密売商人による大規模反乱)
907年	黄巣の乱で頭角を現した節度使・朱全忠の手によって唐が滅ぶ

短命に終わった「隋」

220年に後漢が滅亡したあと、約400年に及ぶ長い分裂の時代を終わらせたのは**「隋」**を興した楊堅という人物でした。文帝を名乗った彼は後に**「科挙」**と呼ばれるようになる学科試験による役人登用制度など、様々な政策を実施し、中央集権化を進めていきます。

文帝の後を継いだ**煬帝**も、中国を南北に結ぶ大運河を完成させるなど国力強化に努めます。しかし、彼の強権的な政治は人々の反発を招き反乱が勃発。煬帝は側近に殺され、隋はわずか38年で滅亡しました。

空前の繁栄を誇った「唐」

煬帝の死後、隋の官僚だった**李淵**が挙兵、618年に**「唐」**を興します。唐は2～3代皇帝の下で支配領域を広げ、空前の大帝国となりました。

ササン朝ペルシアや東西交易の担い手であったソグド人との交流も盛んになり、杜甫や李白に代表されるハイレベルな文化が花開きます。7世紀には、ヨーロッパで異端とされたキリスト教の一派が伝わり、**景教**と呼ばれて流行します。日本も定期的に遣唐使を送り、唐から多くを学ぼうとしました。唐の人口は多いときで5千万人を超えていたようです。

しかし、その唐の繁栄もそこまで長くは続きません。8世紀後半、**楊貴妃**を寵愛したことや、日本人・阿倍仲麻呂を登用したことで知られる**玄宗**の治世の後半から、唐は本格的に衰えを見せ始めます。

751年のタラス河畔の戦いでは、生まれたばかりのイスラーム帝国・アッバース朝に敗北。やがて、辺境を支配する**「節度使」**に任じられていた武人たちが独立を志すようになっていきます。

最終的に唐は907年に滅亡し、中国は再び**「五代十国時代」**と呼ばれる分裂の時代に突入していきました。

「東アジア⑥」は98ページへ

PART 4

イスラーム世界と西欧世界の成立

【7世紀～15世紀】

7世紀以降の西～中央アジアでは
途中、モンゴル帝国による支配を挟みながら
複数のイスラーム王朝が興亡を繰り返していきます。
現在のヨーロッパ諸国の原型となる国々が、
発展を遂げていく様子とあわせて見ていきましょう。

アッラーの他に神はなし イスラーム世界の誕生

622年、ムハンマド、自らを迫害した故郷を去る（ヒジュラ）

ビザンツ帝国とササン朝の間で（7世紀）

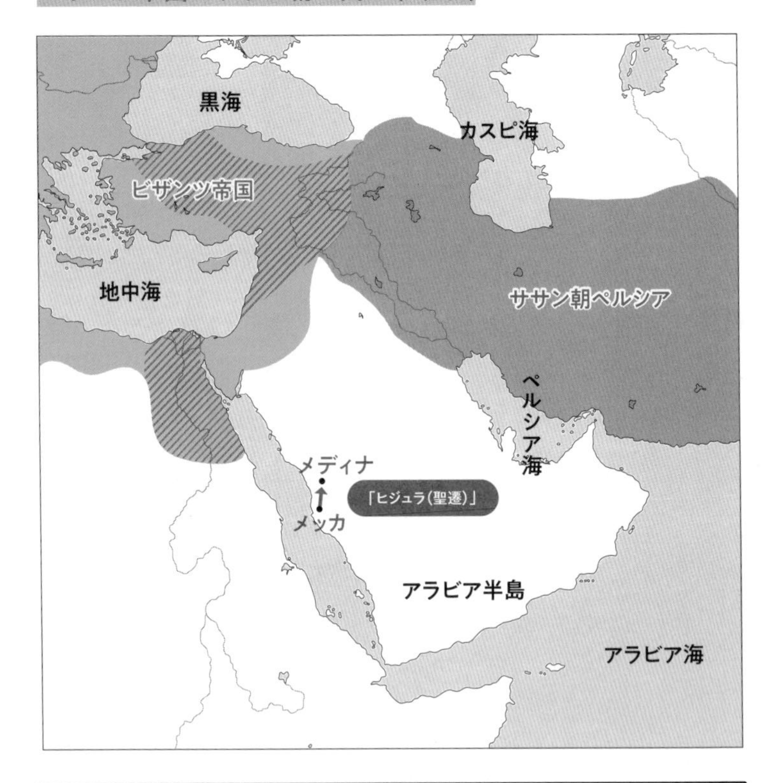

ムハンマドの聖遷

7世紀に入ると、アラビア半島にて、その後の世界に大きな影響を及ぼす新勢力**「イスラーム」**が誕生します。

イスラーム誕生の背景のひとつが、**ビザンツ帝国**と**ササン朝ペルシア**の衝突です。それまで東西を結ぶ交易路となっていた地域が紛争の舞台となってしまったため、**アラビア半島の西部を経由するルート**の存在感が徐々に大きくなっていきました。

この流れの中で発展した都市・**メッカ**の商人の家に生を受けたのが、イスラームの創始者・**ムハンマド**でした。

自分が唯一神アッラーの預言者であることを自覚した彼は、メッカの人々から迫害を受け、少数の仲間と共に近隣の都市・メディナに移住します。この**「ヒジュラ（聖遷）」**と呼ばれる移動が行われた622年は、イスラーム歴における紀元元年となっています。

カリフの座を巡る争い

信者を増やしたムハンマドは、その後メッカを征服し、アラビア半島のアラブ人の諸部族を緩やかに統一していきます。

ムハンマドが亡くなると、アラブ人たちの合意に基づいて選ばれた4人の人々が、順次**「カリフ」**と呼ばれる後継者の地位につきます。この期間にアラブ人のイスラーム教徒たちはササン朝やビザンツ帝国との戦いに勝利しながら、支配領域を広げていきました。

4人目のカリフ、アリーが661年に暗殺されると、彼のライバルであったウマイヤ家のムアーウィアが、アラブ人たちの合意を得ずしてカリフの座につきます。彼はカリフの座を世襲とすることを決め、ここにウマイヤ家によるイスラーム王朝**「ウマイヤ朝」**が誕生します。

イスラーム世界が抱えた2つの対立

750年、イスラーム帝国のアッバース朝誕生

民族よりも信仰

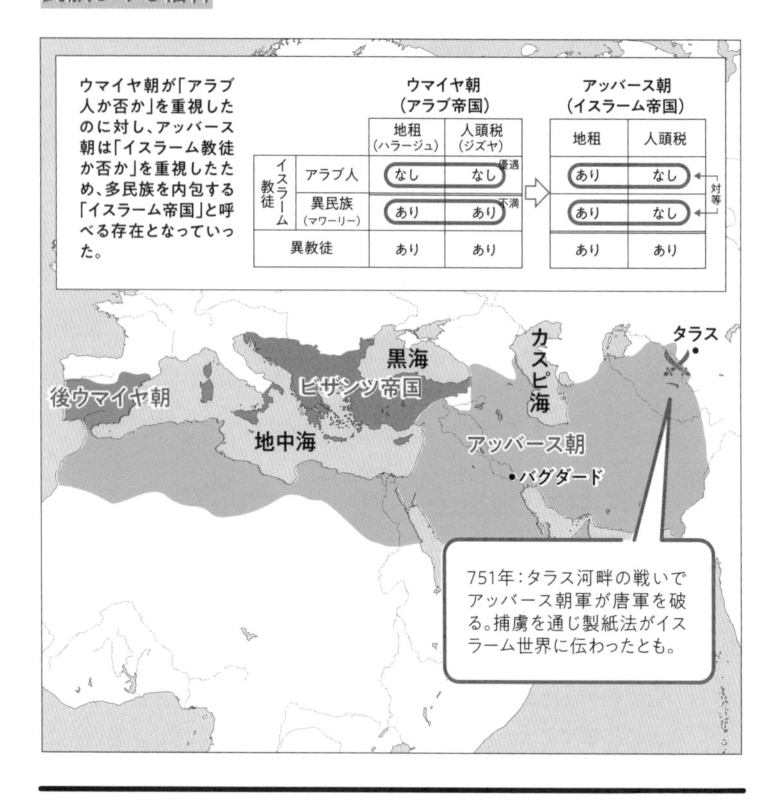

ウマイヤ朝が「アラブ人か否か」を重視したのに対し、アッバース朝は「イスラーム教徒か否か」を重視したため、多民族を内包する「イスラーム帝国」と呼べる存在となっていった。

		ウマイヤ朝（アラブ帝国）		アッバース朝（イスラーム帝国）	
		地租（ハラージュ）	人頭税（ジズヤ）	地租	人頭税
イスラーム教徒	アラブ人	なし	なし（優遇）	あり	なし（対等）
イスラーム教徒	異民族（マワーリー）	あり	あり（不満）	あり	なし（対等）
異教徒		あり	あり	あり	あり

人種・宗派を巡る軋轢

アラブ人によるイスラーム王朝・ウマイヤ朝は、東はインダス川、西は北アフリカを経て、現在のスペインがあるイベリア半島までを支配するようになりました。ただ、その急速な成長の裏で、ウマイヤ朝は国内に**2つの対立**を抱えていました。

ひとつは**アラブ人とアラブ人以外の対立**です。ウマイヤ朝はイスラーム教に改宗した異民族から、イスラーム教徒であれば免除されるはずの税（ジズヤ）を取り続けました。これが「マワーリー」と呼ばれる異民族の改宗者たちの不満を呼びます。

もうひとつは**スンナ派とシーア派の対立**です。ムハンマドの後を継いだ4人のカリフ、その全員を正統と認めるのがスンナ派、4人目のアリーとその子孫だけを認めるのがシーア派ですが、そのシーア派にとって、アリーの政敵であったムアーウィアが建てたウマイヤ朝は認められるものではありませんでした。

アッバース朝、イスラーム帝国へ

750年、マワーリーやシーア派の支持を得たアブー＝アル＝アッバースがクーデターを起こし、ウマイヤ朝は滅亡。新たに「**アッバース朝**」をが興ります。

あくまでアラブ人の王朝であったウマイヤ朝に対し、イスラームの教えを軸にアラブ人と非アラブ人の垣根を小さくしていったアッバース朝は、まさに「**イスラーム帝国**」と呼べる存在となっていきます。

アッバース朝は8世紀後半に全盛期を迎えたあと、13世紀にモンゴルに滅ぼされるまで続きます。ただ、9世紀にはすでに弱体化が進んでおり、イスラーム世界は複雑な分裂の時代に突入していきます。

COLUMN

イスラーム世界の分裂（9〜12世紀）

サーマーン朝によって広がったマムルーク

このタイミングで分裂の時代のイスラーム世界について整理しておきます。世界史の中でもかなり複雑なところです。きついと感じたら、いったん飛ばして先に進むのもよいでしょう。

アッバース朝の弱体化に伴い、まず、9世紀のうちに中央アジアにイラン系の**「サーマーン朝」**が興ります。この王朝は、騎馬戦士として優れていた中央アジアのトルコ人を、奴隷として周辺国家に積極的に売っていたようです。このようにして広がっていった奴隷兵士を**「マムルーク」**と呼びます。

10世紀に入ると、北アフリカとエジプトは**「ファーティマ朝」**が、イランは**「ブワイフ朝」**が、それぞれ支配します。ファーティマ朝の指導者がアッバース朝のカリフを認めず、自らカリフを名乗ったのに対し、ブワイフ朝の指導者は、アッバース朝のカリフは残したまま政治的な実権を奪うという選択をします。

サラディンがヨーロッパを震撼させる

10世紀末には、トルコ系の**「カラハン朝」**がサーマーン朝を滅ぼし、中央アジアのトルコ化が進みます。さらに、サーマーン朝のマムルークが興した**「ガズナ朝」**が、インド方面に勢力を拡大していきます。

11世紀に入ると、ガズナ朝から新たにトルコ系の**「セルジューク朝」**が独立。指導者トゥグリル＝ベクは、アッバース朝のカリフから「支配者」を意味する「スルタン」の称号を授けられます。

現在のトルコ周辺に勢力を拡大したセルジューク朝を脅威に感じたビザンツ帝国はローマ教皇に援助を求め、これが一連の十字軍運動が始まるきっかけとなりました。

エジプト方面ではファーティマ朝の宰相であったクルド人の**サラディン**が、1169年に「**アイユーブ朝**」を興します。サラディンは、第1回十字軍に奪われた**イェルサレムを奪還**し、さらに第3回十字軍による再奪還も阻止したことにより、ヨーロッパ世界にもその名を知られる人物となりました。

西・中央アジアの栄枯盛衰

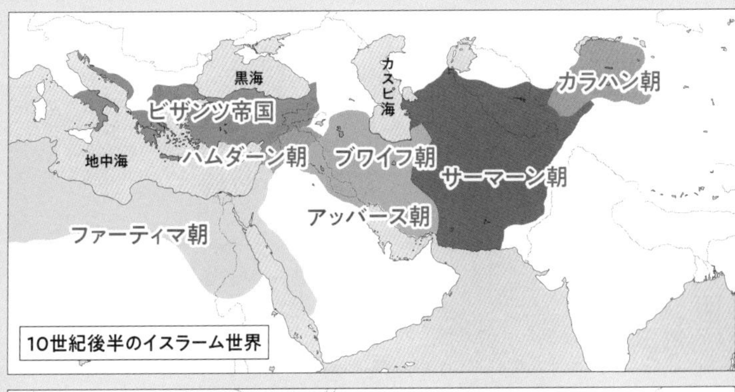

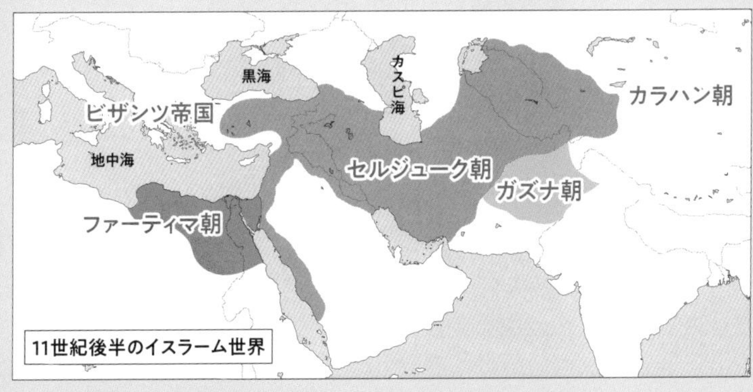

ビザンツ帝国に対抗 西ヨーロッパ世界成立

800年、フランク王カール1世、「ローマ皇帝」の冠を授かる

2つのヨーロッパ世界

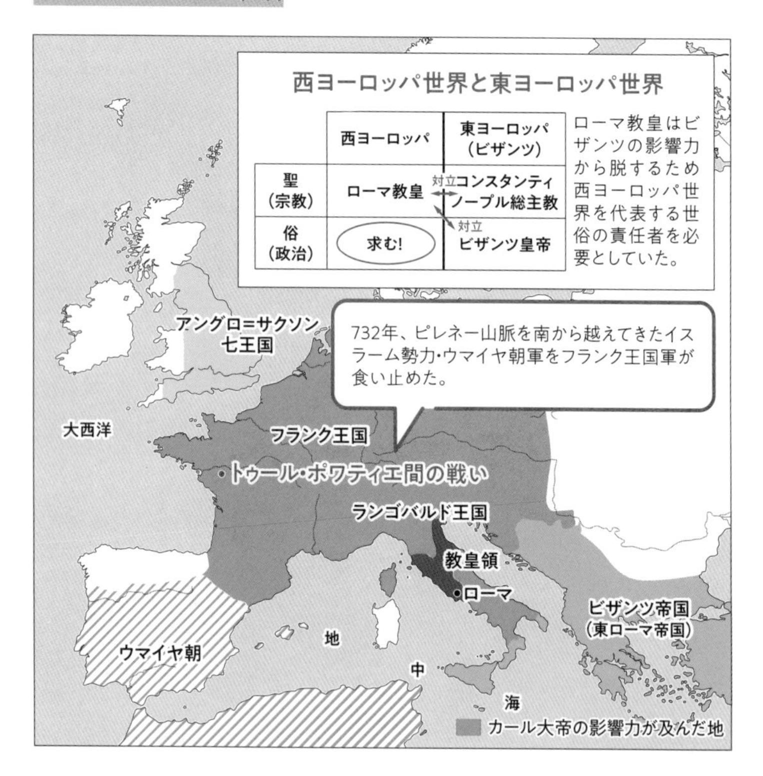

西ヨーロッパ世界と東ヨーロッパ世界

	西ヨーロッパ	東ヨーロッパ(ビザンツ)
聖(宗教)	ローマ教皇	(対立)コンスタンティノープル総主教
俗(政治)	求む!	(対立)ビザンツ皇帝

対立する２つのキリスト教会

ローマ帝国において勢力を拡大したキリスト教では、**「ローマ教皇」**を長とするローマ教会と、ビザンツ帝国の**「コンスタンティノープル総主教」**を長とするコンスタンティノープル教会の対立が激しさを増していきました。

ビザンツ帝国においては、いわゆる「聖」の世界を総主教が管轄し、「俗」の世界を皇帝が管轄していました。それに対し、西のローマ教皇には、東のビザンツ皇帝に対応する世俗の権力者が存在しません。これは、ビザンツの影響力から脱したいローマ教皇にとっては不利な状況でした。

この状況に置かれたローマ教皇は、当時、西ヨーロッパで勢力を拡大していたフランク王国の**カール1世（大帝）**に目を付けます。

西ヨーロッパ世界の対立

カールは、戦争によって支配権の及ぶ範囲を拡大するだけでなく、多くの学僧を宮廷に招き、**カロリング＝ルネサンス**と呼ばれるラテン語を中心とした古典文化の復興事業を進めていました。そんな彼に、800年、当時のローマ教皇は**「ローマ皇帝」**の冠を授けます。

もちろん、カールが皇帝の座についたからといって、かつての西ローマ帝国が復活したわけではありません。ただ、この「カール戴冠」は、ビザンツ帝国から自立した**「西ヨーロッパ世界」**の成立を象徴するできごとと、とらえられています。

やがて、**「ローマ＝カトリック」**と呼ばれる西ヨーロッパ世界のキリスト教に対して、ビザンツ世界のキリスト教は**「ギリシア正教」**と呼ばれるようになっていきました。

現在の西欧諸国の原型となる国々の誕生

962年、オットー1世が戴冠し神聖ローマ帝国の基礎が作られる

11世紀末頃のヨーロッパ

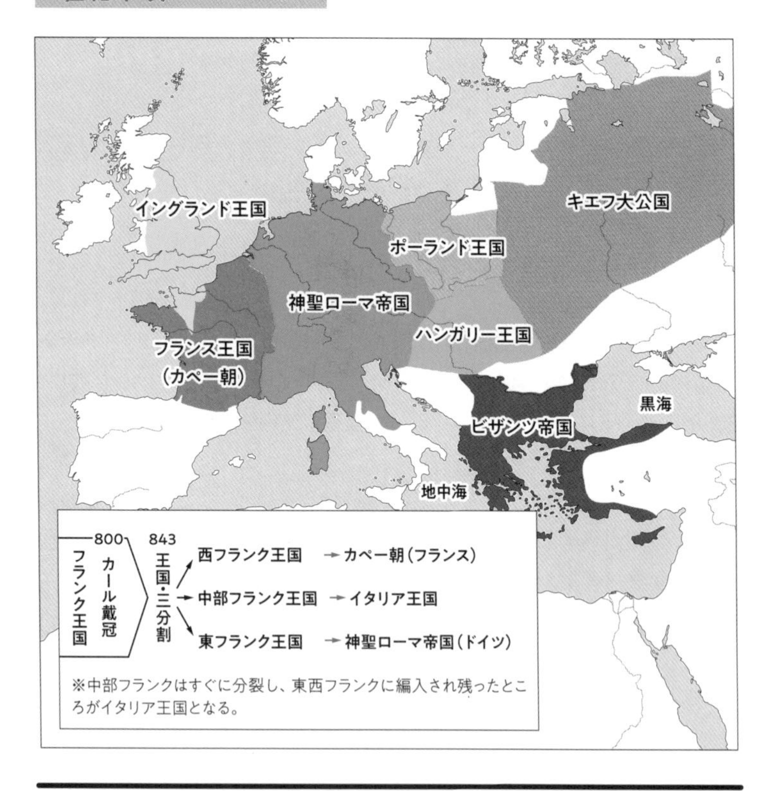

フランス王国、ドイツ王国の誕生

カール大帝亡き後、カロリング家では内部抗争が続き、843年、フランク王国は東フランク王国と西フランク王国に分裂します。皇帝の座もいつしか空位になります。

この頃から**「フランス王国」**となっていく西フランクでは、カロリング家の断絶を受けて、一地方領主であったユーグ＝カペーが新たにカペー朝を開きます。ただ彼は各地を治める諸侯たちによって選出された王であり、そのため彼の王権は比較的弱いものだったようです。

この頃から**「ドイツ王国」**となっていく東フランクでもカロリング朝が断絶し、こちらでも諸侯たちによる選挙で王家が選ばれます。936年に即位したオットー1世は、962年、当時のローマ教皇により「ローマ皇帝」の冠を授けられ、ドイツ国王が皇帝を兼ねる**「神聖ローマ帝国」**の基礎が築かれます。

ノルマン人の勢力拡大

現在のイギリスにあたる地域はどうでしょうか。ゲルマン系のアングロ＝サクソン人が移住を進めたイングランドは、8世紀後半、北方からやってきたゲルマン系のノルマン人・ヴァイキングの脅威にさらされるようになります。

先に西フランク王にイングランドの対岸・ノルマンディー地方の領有を認めさせていたノルマン人は、やがてイングランドへ侵攻。11世紀中頃から、フランス王に臣従する**ノルマンディー公がイングランド王を兼ねる**形でイングランドの支配を始めます。

ちなみに、これと前後して東方に勢力を侵攻したノルマン人は、周辺の東スラブ系の人々と共に**「キエフ大公国」**を建国します。こちらは現在のロシアにつながる国と考えられています。

キリスト教世界とイスラーム世界の衝突

1096年、聖地奪還のため第1回十字軍がイスラーム世界へ

十字軍運動概要

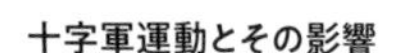

十字軍運動とその影響

第1回(1096-99)	聖地イェルサレムの占領に成功。
第2回(1147-49)	さしたる成果なし。
第3回(1189-92)	アイユーブ朝のサラディンにイェルサレムを奪還されたのを受けて召集。イェルサレムの再奪還はできず。
第4回(1202-04)	ビザンツ帝国の首都・コンスタンティノープルを攻撃。
第5回～第7回	いずれもさしたる成果なし。

十字軍運動の影響

・失敗に終わったことによる教皇権の衰退
・諸侯が没落したことによる国王の権力の伸長
・交易に関わった北イタリア諸都市の発展

イスラームの脅威から十字軍が発足

11世紀後半、ビザンツ帝国は**セルジューク朝**という新たな脅威にさらされます。セルジューク朝はイスラーム教に改宗したトルコ人によって興された王朝です。

セルジューク朝に押されていたビザンツ皇帝は、ローマ教皇ウルバヌス2世に援助を求めます。教皇はこの要請に応じ、これから始まるであろう戦いに**「聖地イェルサレムの奪還」**という意味を付し、群衆を煽ったと伝えられています。

結果として1096年から約200年にわたって、大きなものだけで7回、**「十字軍」**がイスラーム世界に派遣されます。

宗教的な情熱に駆られて参加した民衆も少なくなかったかもしれません。ただ、たとえば第4回の十字軍は（なぜか）コンスタンティノープルを攻撃しており、ギリシア正教に対して優位に立ちたいローマ教皇や、地中海貿易や対アジア貿易の覇権を目指すイタリアの商人たちなど、**様々な関係者の色々な目論見**が透けて見えるイベントでもありました。

十字軍運動失敗の余波

一連の十字軍運動はヨーロッパ世界に大きな変化をもたらします。聖地の奪還が失敗に終わったことで**教皇の権威は失墜**し、度重なる戦争の中で諸侯たちの経済力も後退していったため、代わって**「国王」**の権力が伸長していきます。

ヴェネツィアやジェノヴァといった北イタリアの諸都市は、十字軍の輸送やイスラーム商人との接触によって莫大な富を得ました。また、十字軍運動をきっかけに西ヨーロッパに伝わったビザンツ帝国やイスラーム世界の文化は、14世紀の**ルネサンス**にも大きな影響を与えたと考えられています。

「中世ヨーロッパ④」は100ページへ

COLUMN

中国・異民族の伸長（10〜12世紀）

文治主義色の強い宋王朝

しばらくイスラーム世界と西ヨーロッパ世界の話が続いたので、ここでいったん、その間の東アジアの動きをまとめておきます。

7世紀後半から8世紀前半にかけて空前の繁栄を誇った唐王朝は、やがて地方を支配するために置いた**「節度使」**たちの独立を許し、907年に滅亡します。

唐の滅亡後、中国は**「五代十国時代」**と呼ばれる分裂の時代を迎えますが、この状態は長くは続きません。約50年後、**「宋」**王朝が中華を再統一します。

戦乱が続く中、唐の時代に大きな力をもっていた貴族が没落したのを受け、宋は科挙によって選ばれた文官たちを重用する中央集権的な体制を作り上げます。節度使の力も削いだ宋は、武力以上に学問が重視される文治主義的な王朝だったようです。

それもあってか、宋は、モンゴル系キタイ族の**「遼」**や、チベット系タングート族の**「西夏」**といった、周辺の異民族国家の圧力に苦しんだ王朝でもありました。

女真族の勢力拡大

12世紀に入ると、遼の支配下にあった満州で、ツングース系女真族が建てた**「金」**が、遼を倒したのち宋を攻撃。都を落とされた宋は南下し、都を長江下流にうつします。これ以降の宋を南宋と呼びます。

ちなみに金に倒された遼の人々は西に移動し、当時、勢力を弱めつつあった中央アジアのトルコ系イスラーム王朝・東カラハン朝を倒して、新たに**「西遼」**を興します。

遼や金、そしてこのあと続く元や清といった異民族王朝には、漢人の影響を受けながらも、独自の政治システムや、文化を守ろうとする傾向が強くあったと考えられています。

さて、金と南宋を中心とする東アジアの国々は、ついに13世紀を迎えます。**「モンゴルの世紀」**の訪れです。

漢民族から異民族へ移っていく中国の覇権

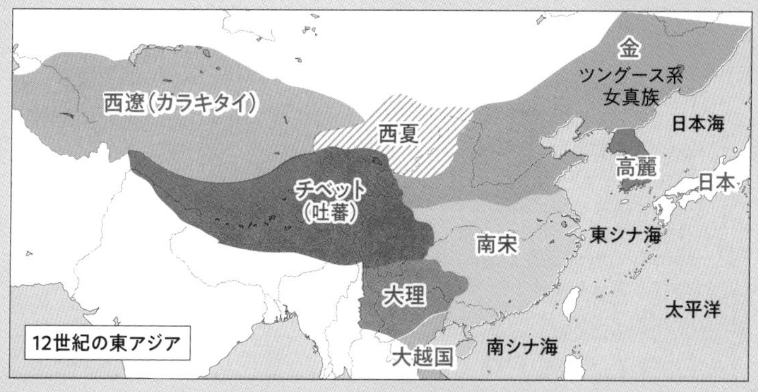

モンゴル帝国がユーラシア大陸を席巻

1206年、テムジン、チンギス＝ハンを称す

モンゴル帝国の最大領域

13世紀はモンゴルの世紀

13世紀初め、数多くの**遊牧集団**が割拠していたモンゴル高原の統一に乗り出す人物が現れます。テムジンと呼ばれたその人物は、1206年、チンギス＝ハンと称し、大モンゴル国を建て、破竹の勢いでユーラシア大陸全土に勢力を拡大していきます。

南下して西夏、西遼、そして金を屈服させたモンゴル人は、1271年に新たな王朝・**元**を興し、チンギス＝ハンの孫・**フビライ**が皇帝として即位します。フビライは、朝鮮半島の高麗を服属させ、南宋を滅ぼし、さらに日本や東南アジアまで軍を送ります。

西方ではポーランドやハンガリーのあたりまで進出し、南ロシア周辺に**キプチャク＝ハン国**を建設。中央アジア方面ではアッバース朝を滅亡させ、イラン・イラク方面には**イル＝ハン国**、中央アジアには**チャガタイ＝ハン国**をそれぞれ建設します。

元と3つのハン国からなるモンゴル帝国は、人や物、情報の広大なネットワークを実現させます。3つのハン国においてはそれぞれイスラーム化が進み、海や草原、オアシスを舞台にイスラーム商人たちが活躍するようになりました。

長続きしなかったモンゴル帝国

とはいえ、拡大と同じくらい**衰退も速かった**のがモンゴル帝国です。元では、飢餓や疫病などによって広がった社会不安を背景に、大規模な宗教反乱が発生。その中で頭角を現した朱元璋という人物の手によって、1368年、元は滅ぼされます。

また、14世紀から15世紀のうちに、チャガタイ＝ハン国やイル＝ハン国は**ティムール朝**に、キプチャク＝ハン国は**モスクワ大公国**に、それぞれとって代わられ、モンゴル人によるユーラシア支配は短期間のうちに終わりを告げます。

「東アジア⑦」は108ページへ

インググランドで生まれた立憲君主制の萌芽

1215年、ジョン王がマグナ＝カルタに署名

反乱に翻弄されるイングランド王たち

イングランド・プランタジネット朝の王たち（王も楽じゃない）

- ヘンリ2世（位1154-1189）：フランスのアンジュー、ノルマンディー、そしてイングランドにまたがる広大な領土を支配した。
- リチャード1世（位1189-1199）：第3回十字軍に参戦したが、帰りに遭難。身柄を神聖ローマ皇帝に引き渡され、莫大な身代金を要求された。
- ジョン（位1199-1216）：教皇と対立し破門される。フランス王フィリップ2世との争いに負け、多くの領土を失った結果、反発した貴族に「大憲章（マグナ＝カルタ）」を認めさせられる。
- ヘンリ3世（位1216-1272）：マグナ＝カルタを無視して一方的に課税しようとしたため、貴族を率いて反乱を起こしたシモン＝ド＝モンフォールに屈服させられる。
- エドワード1世（位1272-1307）：シモン＝ド＝モンフォールの議会に近い「模範議会」と呼ばれる議会を開く。
- エドワード3世（位1327-1377）：母親がフランス王の娘であるということで、フランスの王位継承権を主張し、百年戦争を始める。
- リチャード2世（位1377-1399）：貴族たちの反発を受けて廃位される。これによってプランタジネット朝は終わり、ランカスター朝へ移行する。

大憲章（マグナ＝カルタ）

貴族たちは「議会の同意なき課税は認めない」「不当な逮捕は認めない」といった要求を国王に認めさせた。

国王も法の下へ

ここで再び西ヨーロッパ・イングランドに目を向けます。イングランドでは、フランス国内に領土をもつ**フランス王の臣下がイングランド王を兼ねる**状態が続いていました。

12世紀に入り、ノルマン朝に代わって興ったプランタジネット朝の3代目の王・**ジョン**は、フランス王・フィリップ2世との抗争を続けるために度重なる課税をし、国内の貴族たちの反発を招きます。

1215年、イングランドの貴族たちはジョンに、国王の課税には貴族の同意が必要であることなどを定めた文章を認めさせます。**「大憲章」**とも呼ばれるこの**「マグナ=カルタ」**は、王も法の下にあることを示した記念碑的な文章だと考えられています。

イギリス議会の原型が作られる

しかし、ジョンの後を継いだ王が早くも貴族との合意を守ろうとしなかったため、貴族・**シモン=ド=モンフォール**が反乱を起こします。国王を捕らえた彼は、1265年、大貴族や高位の僧侶だけでなく、騎士や都市の代表も参加する議会を開きました。

ここでいう騎士とは、後に**「ジェントリ」**と呼ばれる層を形成する農村の中小地主を指します。そのような人々が政治について意見を述べる場ができたということで、この議会は貴族院と庶民院から成る現在のイギリス議会の原型となりました。

国王を法の下に置く**「立憲君主制」**には欠かせない**「憲法」**と**「議会」**の礎を築いたイングランドですが、とはいえ、そのまま一直線に民主的な方向に進んでいったわけではありません。

イングランドでは、このあと「百年戦争」と「薔薇戦争」という2つの大きな戦争を経て、むしろ**王権は強化**されていきました。

イギリス王家とフランス王家の抗争

1339年、領土を巡って「百年戦争」が始まる

大陸内の領土を巡る対立

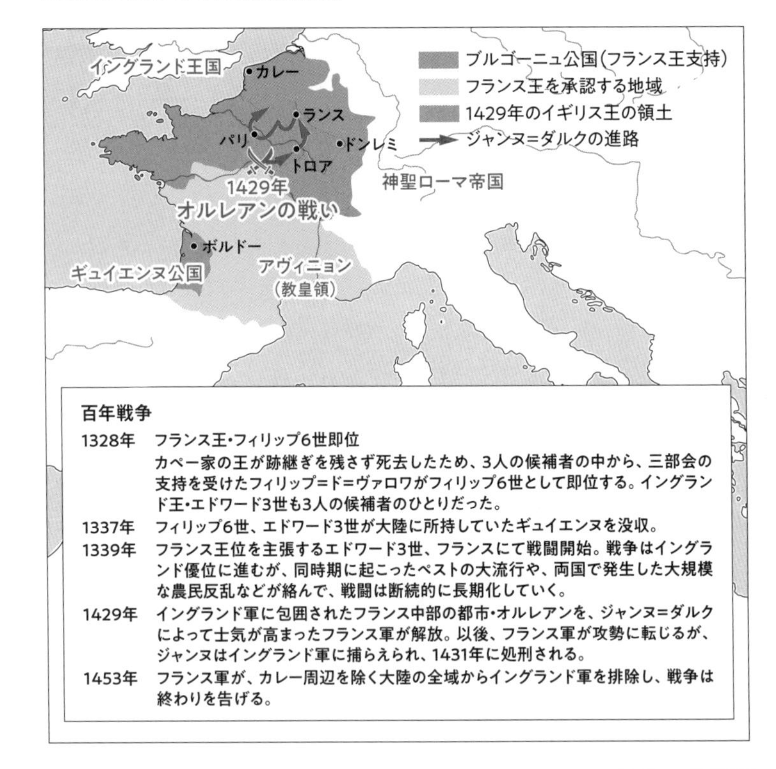

百年戦争

1328年	フランス王・フィリップ6世即位 カペー家の王が跡継ぎを残さず死去したため、3人の候補者の中から、三部会の支持を受けたフィリップ=ド=ヴァロワがフィリップ6世として即位する。イングランド王・エドワード3世も3人の候補者のひとりだった。
1337年	フィリップ6世、エドワード3世が大陸に所持していたギュイエンヌを没収。
1339年	フランス王位を主張するエドワード3世、フランスにて戦闘開始。戦争はイングランド優位に進むが、同時期に起こったペストの大流行や、両国で発生した大規模な農民反乱などが絡んで、戦闘は断続的に長期化していく。
1429年	イングランド軍に包囲されたフランス中部の都市・オルレアンを、ジャンヌ=ダルクによって士気が高まったフランス軍が解放。以後、フランス軍が攻勢に転じるが、ジャンヌはイングランド軍に捕らえられ、1431年に処刑される。
1453年	フランス軍が、カレー周辺を除く大陸の全域からイングランド軍を排除し、戦争は終わりを告げる。

フィリップ2世が教皇を捕縛

フランス・**カペー朝**でも王権の伸長が進みます。フィリップ2世はイングランドのジョン王からフランス内の領地を奪って強固な経済基盤を手に入れ、フィリップ4世は教会に対して優位に立つべく当時のローマ教皇と争います。

教皇と対決するにあたって、フィリップ4世は、1302年、聖職者・貴族・都市住民を集め、フランスの身分制議会・**三部会**の起源となる集会を開きます。民意をとりつけたフィリップ4世は教皇を捕縛し、教皇庁をローマから自らの影響力が及ぶ南フランスにうつしました。

このように王権を強化していったカペー朝でしたが、やがて家系が断絶してしまい、新たに**ヴァロワ朝**が始まります。

百年戦争でフランスが勝利

もともとフランスとイングランドの間には、お互いの王家間の複雑な関係や、領土を巡る積年の対立がありました。そんな中、大陸のイングランド領の一部を没収したフランス王と、自分こそがフランス王にふさわしいと主張するイングランド王の間で戦争が始まります。

「百年戦争」と呼ばれるこの戦争は、フランス王家とイングランド王家の抗争に、領土の拡張を目論むフランスの諸侯たちが加わり、長期化していきます。

前半はイングランド優勢で進みますが、やがて16歳の少女・**ジャンヌ=ダルク**の登場などが転機となり、1453年、戦争はフランスの勝利で終わります。

大陸内のイングランド領をほぼ取り返したフランスでは、各地の諸侯たちが戦争で疲弊したことから国王の権力がさらに強化され、**「絶対王政」**の時代を迎える準備が整います。

英仏と対照的に、分権化が進むドイツ

1356年、神聖ローマ皇帝が「金印勅書」を発する

領邦の集合体としての神聖ローマ帝国（14世紀）

神聖ローマ帝国史（前半）

962年	ドイツ王オットー1世、教皇から「神聖ローマ皇帝」の冠を授けられる。
1077年	皇帝ハインリヒ4世、教皇に廃位を迫るも、反対に破門を宣告され屈服する。（「カノッサの屈辱」・教皇権の強大化）
12~13世紀	このころ、十字軍運動やイタリア政策（イタリア諸都市との戦い）が繰り返される。
1256年	非ドイツ人の皇帝が誕生し、「大空位時代」が始まる。
1273年	ハプスブルク家のルドルフが皇帝に選出され、「大空位時代」が終わりを告げる。
1356年	「金印勅書」が発せられる。
1396年	フランスの諸侯やイタリアの都市と共にオスマン帝国軍との戦いに参戦し敗れる。（ニコポリスの戦い）
1438年	これ以降、皇帝位をハプスブルク家が独占する。

オットー戴冠後のドイツ

962年にドイツ王・オットー1世が教皇から「神聖ローマ皇帝」の冠を授かったあとのドイツの歴史を簡単に見ていきましょう。

皇帝を兼ねるドイツ王は、各地を治める諸侯たちの選挙で選ばれており、その権力は強いものではありませんでした。歴代の王が「ローマ皇帝」としてイタリアの支配権を手に入れるべく、イタリア侵攻を繰り返したこともあって、本国の統治がおろそかになった分、諸侯や都市の自立が進んだとも考えられています。

皇帝を選ぶ選挙にイギリスやフランスが介入したため、1256年頃から1273年まで、ドイツ人ではない者が王に選ばれる**「大空位時代」**が訪れます。皇帝権が弱体化したこの頃から、「神聖ローマ帝国」という呼称が使われるようになったのは、なんとも皮肉な展開です。

分権化とハプスブルク家の伸長

政治的な混乱を防ぐ必要があった皇帝・カール4世は、1356年、諸侯たちが集まる議会で**「金印勅書」**を発表します。皇帝を選ぶ選挙で投票できる諸侯を7つの選帝侯に限定し、選帝侯が治める領邦には国家に等しい主権を認めました。

さらに、神聖ローマ皇帝を選ぶにあたって、ローマ教皇の承認は不要としたことから、**神聖ローマ皇帝は実質的にドイツ王とほぼ等しい存在**になります。

王権を伸長させ、中央集権的な安定を図ろうとしたフランスやイギリスと異なり、ドイツは**領邦の集合体・連邦国家としての安定**を目指したと見ることができるようです。

しかし、やがてこの分権的な安定に一石を投じる勢力が現れます。ドイツ南部を勢力基盤とし、1438年以降、皇帝の座を独占することになる**「ハプスブルク家」**の伸長です。

「中世ヨーロッパ⑦」は114ページへ

独自の文化が花開いた朝鮮王朝

1392年、李成桂が朝鮮王朝を興す

朝鮮の国々の興亡

年表

676年	新羅、朝鮮半島を統一
936年	高麗、朝鮮半島を統一
1259年	高麗、モンゴル軍に降伏
1274年	元、高麗の兵士とともに日本襲来（文永の役）
1392年	李成桂、高麗に代わり朝鮮王朝を興す
1446年	訓民正音（ハングル）が制定される
1592年	豊臣秀吉による侵略を受ける（壬辰倭乱）
1636年	清の従属国となる
1895年	下関条約により清から独立する
1897年	国号を「大韓帝国」にあらためる
1910年	日本に併合される（韓国併合）

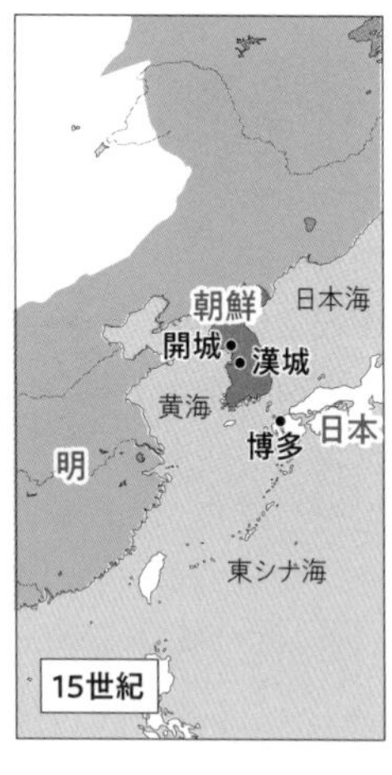

朝鮮半島の歴史

ここでいったん東アジア・朝鮮半島に目を向けます。約4000年前から稲作が始まった朝鮮半島では、一時、漢の支配を受けながらも、いくつかの国が興ります。

7世紀、**「新羅」**がいったん朝鮮半島を統一しますが、やがて10世紀に入ると**「高麗」**が新羅にとって代わります。

高麗は13世紀半ば、モンゴル軍に降伏します。その後、日本を襲った元軍の中には高麗の兵士も含まれていたようです。

とはいえ、その元もすぐに弱体化していきます。そんな中、密貿易や海賊行為を繰り返していた**「倭寇」**の討伐で名を挙げた**李成桂**という人物が、1392年、高麗に代わる新たな王朝**「朝鮮」**を興します。

ハングルや銅活字が用いられる

15世紀に入ると、朝鮮では**「訓民正音（ハングル）」**と呼ばれる文字が作られ、また、**金属活字を用いた出版事業が活発になる**など、独自の文化が展開されます。ヨーロッパでグーテンベルクが活版印刷術を開発するよりも前のできごとです。

ただ、16世紀になると、朝鮮に大きな打撃を与える事件が起こります。日本を統一した豊臣秀吉による侵略です。日本では**「文禄・慶長の役」**と呼ばれる2度にわたる出兵は、朝鮮では**「壬辰・丁酉の倭乱」**と呼ばれています。朝鮮は将軍・李舜臣の活躍などにより日本軍の侵略をはねのけますが、戦闘自体が朝鮮で行われたため、朝鮮はその後、国土の荒廃に苦しむことになりました。

朝鮮王朝の歴史は、最終的に1897年に国号を**「大韓帝国」**にあらためるまで続きます。

14世紀から16世紀、商工業の発展に沸く明

1405年、明の宦官・鄭和が南海遠征に赴く

朝貢国を増やした鄭和の南海遠征

永楽帝の命を受けた鄭和は、1405年から1433年の間に、60隻を超える巨大な船と2万人を超える人員を率いて合計7度の航海に出た。大航海時代を迎えたポルトガルのヴァスコ=ダ=ガマよりも約90年早くインド・カリカットを訪れた鄭和の船団は、アラビア半島、そしてアフリカまで到達した。

海禁政策が大航海に発展

元朝のもとで発生した大規模な宗教反乱に参加した**朱元璋**は、1368年、現在の南京で**洪武帝**として即位、新たに「明」朝を興します。

明は、東アジアの海域で海賊行為や私貿易を繰り返していた「倭寇」と呼ばれる勢力を取り締まるため、民間の貿易を禁止し、海外との交易を「朝貢」に一本化する**「海禁」**政策をとります。「朝貢」とは、周辺諸国から献上された貢物に対して、中華の皇帝が返礼品を下賜するというスタイルの貿易です。

朝貢相手を増やす必要があった明では、**イスラーム教徒の宦官・鄭和**による**南海遠征**が企画されます。1405年から30年にわたって7回の遠征を繰り返した鄭和の船団は、東南アジアからインドを経て、アラビア半島、最終的には東アフリカまで到達しました。ヨーロッパが大航海時代に突入する100年ほど前のできごとです。

明の伸長と滅亡

鄭和を重用した3代目の皇帝・**永楽帝**は、支配域の拡大に積極的でした。元朝滅亡後、西方に移動していたモンゴル人に圧力をかけ、中国東北部・満州やベトナム北部においても勢力を拡大していきます。

しかし、その後、モンゴル人との抗争は徐々に明を苦しめるものとなっていきます。また、16世紀に入ると、海禁を破って私貿易に乗り出した**(後期)倭寇**と呼ばれる勢力が、東アジアの海域に大きなネットワークを作り始めます。商業のもつパワーが、国家の統制しきれない規模になってきている様子がうかがえます。

外敵への対応に追われながらも、商工業や都市の発展に沸いた明でしたが、17世紀に入ると、宦官と官僚の激しい対立や大規模な農民反乱を受けて滅亡。明に代わって中華を治めることになったのは、満州地方で勢力を拡大した**女真族の王朝「清」**でした。

「東アジア⑧」は160ページへ

COLUMN

東南アジアとアフリカ（7～18世紀）

交易の要衝となる東南アジア

鄭和が出てきたところで、東南アジアとアフリカの歴史を簡単に整理しておきます。

東南アジアでは、**約4000年前に稲作が始まって**以来、それぞれの地域で、数々の王朝が興亡を繰り広げます。

7世紀頃になると、インドから**仏教**や**ヒンドゥー教**が伝えられます。世界遺産としても有名なカンボジアの**アンコール＝ワット**は、12世紀

15世紀の東南アジア

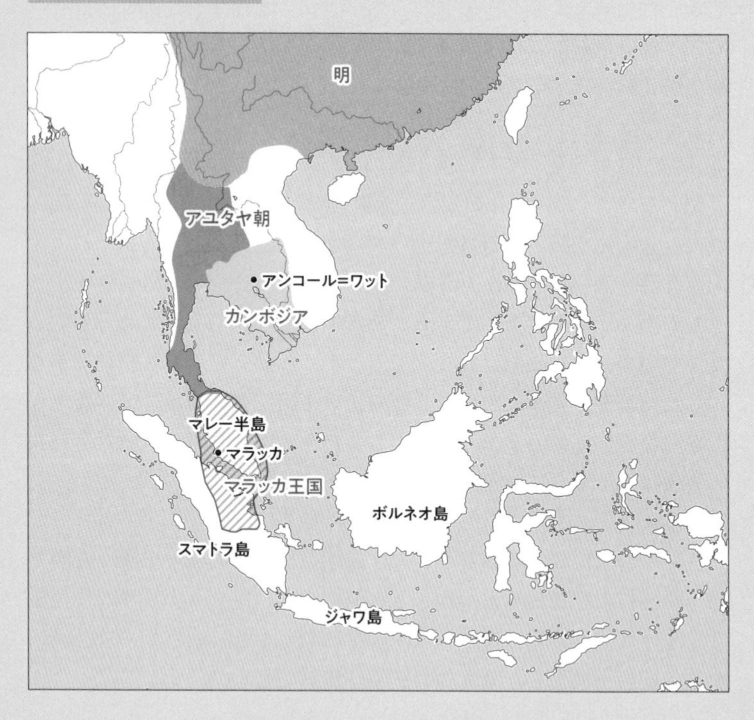

郵 便 は が き

（切手をお貼り下さい）

1 7 0-0 0 1 3

（受取人）

東京都豊島区東池袋3-9-7
東池袋織本ビル4F
㈱すばる舎　行

この度は、本書をお買い上げいただきまして誠にありがとうございました。お手数ですが、今後の出版の参考のために各項目にご記入のうえ、弊社までご返送ください。

ふりがな お名前	男・女	才
ご住所　〒		
ご職業	E-mail	
今後、新刊に関する情報、新企画へのアンケート、セミナー等のご案内を郵送またはEメールでお送りさせていただいてもよろしいでしょうか？ □はい　□いいえ		

ご返送いただいた方の中から抽選で毎月3名様に
3,000円分の図書カードをプレゼントさせていただきます。

当選の発表はプレゼントの発送をもって代えさせていただきます。
※ご記入いただいた個人情報はプレゼントの発送以外に利用することはありません。
※本書へのご意見・ご感想に関しては、匿名にて広告等の文面に掲載させていただくことがございます。

◎タイトル：

◎書店名（ネット書店名）：

◎本書へのご意見・ご感想をお聞かせください。

ご協力ありがとうございました。

に建設されたヒンドゥー教の寺院です。

マレー半島とスマトラ島の間に位置する**マラッカ海峡**は、古くから**東西を結ぶ交易の舞台**となっていました。

14世紀末にこの地に生まれたとされる**マラッカ王国**は、**鄭和の船団の補給基地**として発展します。鄭和が去ると、マラッカ王国は独立を保つためにイスラーム商人との関係を強化したため、島しょ部を中心に東南アジアのイスラーム化が進みます。現在、**世界でもっともイスラーム教徒が多い国はインドネシア**です。

マラッカ王国は16世紀にポルトガルに滅ぼされます。この時点ではポルトガルはイスラーム商人の影響力を排除することに失敗しますが、18世紀になると東南アジア全域でヨーロッパ諸国による**植民地化**が本格的に進んでいきます。

イスラーム商人に重宝されたアフリカ

アフリカに目を向けると、7世紀頃から北部をイスラーム王朝が支配するようになります。やがて、**莫大な金の産出地であった西アフリカ**にも、イスラーム教徒が支配する王国が現れ、イスラーム商人たちが交易ネットワークを作り上げていきます。

15世紀前半に鄭和が立ち寄った東アフリカ沿岸部も、イスラーム商人や東南アジア、中国の商人たちによる**インド洋を介した交易の舞台**として発展していたようです。

すでにこのころからイスラーム商人による**奴隷貿易**が始まっていたようですが、15世紀に入り、ポルトガルやスペインの本格的な対外進出が始まると、奴隷貿易はヨーロッパ人の手によっていっそう盛んに進められます。

ヨーロッパ人が植民地としたアメリカ大陸において、**過酷な労働環境**や彼らが持ち込んだ**伝染病**によって多くの人口が失われたことから、それに代わる労働力として、多くの奴隷が奴隷船に乗せられて大西洋を渡ることとなりました。

PART 5

近世ヨーロッパの発展

【15世紀～17世紀】

15世紀からヨーロッパ世界は
「近世」と呼ばれる時代に移行します。
ルネサンスや宗教改革、大航海時代、絶対王政。
この時代を彩る数々のキーワードが意味するところを
それぞれの背景や影響とともに確認していきましょう。

ヨーロッパ世界を変えたオスマン帝国

1453年、オスマン帝国がビザンツ帝国を滅ぼす

オスマン帝国の拡大

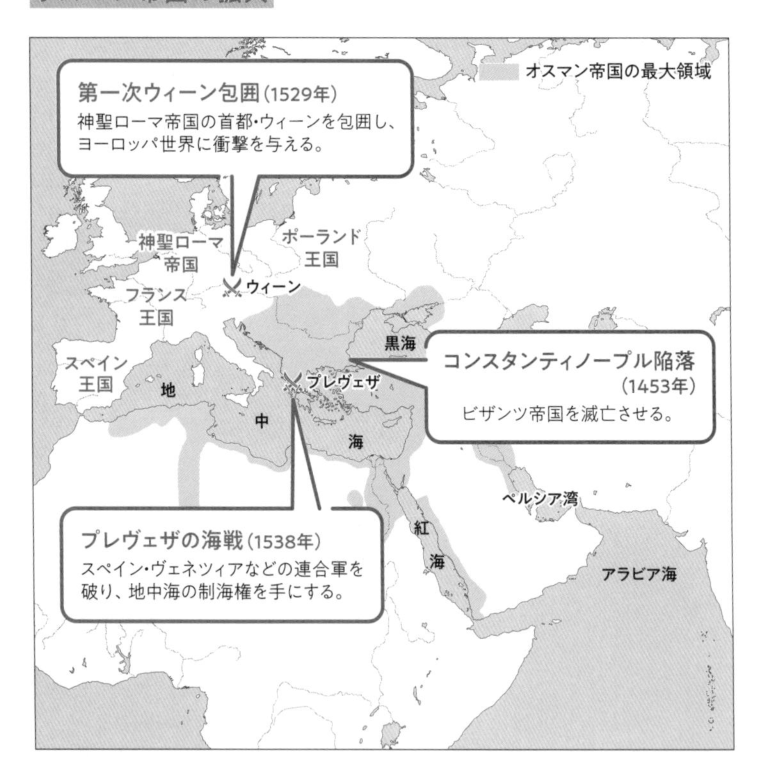

新たなトルコ系イスラーム帝国

1300年頃、十字軍やモンゴル軍の襲来によって混乱した現在のトルコ付近で、イスラーム戦士の集団を率いるトルコ人・オスマンが、後に**オスマン帝国**と呼ばれることになる国を興します。

初期のオスマン帝国の最大の脅威は、当時、中央アジアで勢力を拡大していた**ティムール朝**でした。

モンゴル帝国が分裂した後の中央アジアでは、チャガタイ＝ハン国に生まれたティムールという人物が頭角を現します。「**トルコ語を話すイスラーム教徒のモンゴル人**」という多様な背景を持つ彼は、遠征を繰り返しながら一代で広大な帝国を築きます。

1402年、オスマン帝国も**アンカラの戦い**でティムール軍に敗れますが、その後、ティムール軍が明を目指して東に転進し、さらにほどなくしてティムールが亡くなったことで、滅亡の危機を免れます。

オスマン帝国がヨーロッパ世界に与えた影響

危機を免れ勢力を拡大したオスマン帝国は、1453年、ついに**ビザンツ帝国を滅ぼします**。ビザンツの首都・コンスタンティノープルは**イスタンブル**と改称され、オスマン帝国の新たな首都となりました。

オスマン帝国は16世紀、スレイマン1世の下で最盛期を迎えます。

1529年には神聖ローマ帝国の首都**ウィーンを包囲**し、1538年にはスペインやヴェネツィアの連合艦隊を撃破して地中海を掌握しました。

ビザンツ帝国の文化人が北イタリア諸都市に避難したことは「**ルネサンス**」に、キリスト教の絶対性が揺らいだことは「**宗教改革**」に、そして地中海におけるオスマン帝国の勢力拡大は「**大航海時代**」の到来に、それぞれ大きな影響を与えたと考えられています。

オスマン帝国の歴史は20世紀、第一次世界大戦に敗れて革命が勃発する1922年まで続きます。

COLUMN
イベリア半島とイタリア（8〜15世紀）

イベリア半島を巡る争い

「ルネサンス」「大航海時代」そして「宗教改革」について扱う前に、**イベリア半島とイタリアの動き**を確認しておきましょう。

現在のスペインやポルトガルがあるイベリア半島にゲルマン人が建てた**西ゴート王国**は、8世紀に、アフリカ側から回り込んできたイスラームの王朝・ウマイヤ朝に滅ぼされます。

ここから1492年まで、約800年かけて進められるキリスト教徒によるイベリア半島奪還の動きを**「レコンキスタ」**と呼びます。

11世紀に入ると、キリスト教徒たちは**カスティリャ王国**と**アラゴン王国**を建国、さらに12世紀には**ポルトガル王国**を建国し、東方の十字軍運動と並行してイスラーム勢力との戦いを続けます。

ただ、同時にイベリア半島は、**ヨーロッパ文化とイスラーム文化との接点**にもなっていました。ゲルマン人の移動に伴ってヨーロッパで失われてしまった古代ギリシアの文化や学問が、イスラーム世界を経由してヨーロッパに帰ってきたわけです。

やがて、カスティリャ王国とアラゴン王国は統合され、**スペイン王国**が誕生。1492年に、イスラーム勢力の最後の拠点、グラナダを陥落させ、**レコンキスタは完成します**。その1492年は、スペイン王の命を受けた**コロンブス**が、大西洋横断に成功した年でもありました。

南部・中部・北部に分かれるイタリア

イタリア半島南部とシチリア島の歴史は複雑です。6世紀から12世紀にかけては、ゲルマン人・ビザンツ帝国・イスラーム勢力・ノルマン人が、13世紀に入ると神聖ローマ帝国やスペイン（アラゴン王国）、そしてフランスが、**入れ代わり立ち代わり干渉**します。

イタリア半島中央部は、ローマ教皇が**フランク王国・カロリング家**による寄進を受けて以来、長らく教皇領となっていました。

しかし、14世紀になり、当時の教皇がフランス王国・カペー朝のフィリップ4世との対立に敗れ、**教皇庁が南フランスにうつされる**と、ローマ周辺における教皇の影響力は衰退していきます。

イタリア北部では十字軍運動やイスラーム商人との貿易を背景に、**ヴェネツィア**や**フィレンツェ**といった「都市」が勢力を拡大していきました。

これらの都市の繁栄の中で産声を上げた**「イタリア=ルネサンス」**は、14世紀から16世紀にかけてヨーロッパ各地に広がっていきます。

11世紀頃のイベリア半島とイタリア

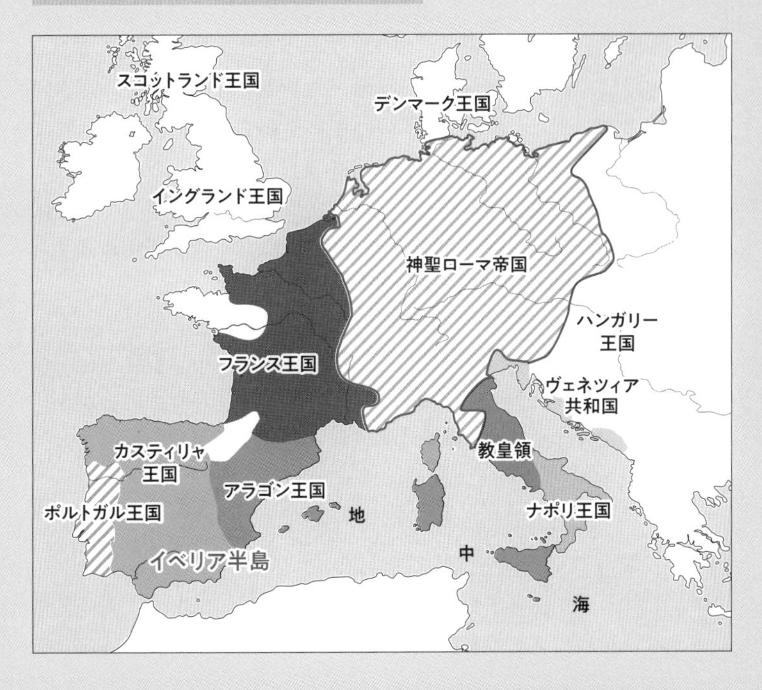

COLUMN

ルネサンスとは（14〜16世紀）

「再生」を意味する文化運動

14世紀から16世紀にかけて、イタリアからヨーロッパ各地に広がった文化運動を指す**「ルネサンス」**という言葉は、もとは**「再生」**を意味するフランス語です。

簡潔に説明するのが難しい言葉ですが、中世ヨーロッパにおいて失われていた**古代ギリシア・ローマの精神**をよみがえらせ、「人間」の理性や感情、身体を見つめ直そうとする文化運動と説明されることが多いようです。

古典文化を見直す動き自体は、中世にもいくつかありました。9世紀にフランク王国のカール大帝が、ゲルマン社会で衰退した古典文化を復興しようとした動きを**「カロリング＝ルネサンス」**と呼びます。

12世紀には、ビザンツ帝国やイスラーム世界に保存されていた古代ギリシアの文化が、シチリア島やイベリア半島を経由して西欧世界に帰ってくる**「12世紀ルネサンス」**が進みました。

そして、14世紀になると、メディチ家が支配するフィレンツェに代表されるイタリアの諸都市を中心に、いわゆる**「イタリア＝ルネサンス」**が開花します。

『神曲』を発表したダンテらの活躍によって始まったイタリア＝ルネサンスは15世紀に最盛期を迎え、**レオナルド＝ダ＝ヴィンチ**や**ミケランジェロ**といった芸術家を生み出します。政治と宗教を切り離そうとした**マキャベリ**や、地動説を唱えた**コペルニクス**が活躍したのもこの時代です。

大航海時代への呼び水にもなった

16世紀に入ると、ルネサンスはヨーロッパ各地に広がり、イングランドでは劇作家・**シェイクスピア**が数々の作品を残します。

先ほどコペルニクスの名前が出ましたが、ルネサンスは当時の**科学技術を大きく発達させる**ものでもありました。そしてそれはその後の西ヨーロッパ世界を激変させるトリガーとなります。

情報を効率よく大衆に伝えることを可能にした**「活版印刷術」**は、16世紀に宗教改革が本格化するきっかけのひとつとなり、また、**「火薬」**や**「羅針盤」**は、ヨーロッパが大航海時代を迎えるにあたって欠かすことのできないものだったと考えられています。

ルネサンスを代表する人物(一部)

	出身地	代表的な作品・業績
ダンテ (1265-1321)	イタリア・フィレンツェ	『神曲』(叙事詩)
グーテンベルク (1400頃-1468)	ドイツ・マインツ	活版印刷術
ボッティチェリ (1444頃-1510)	イタリア・フィレンツェ	『ヴィーナスの誕生』『春』(絵画)
ダ=ヴィンチ (1452-1519)	イタリア・フィレンツェ	『モナ・リザ』(絵画)『最後の晩餐』(壁画)
マキャベリ (1469-1527)	イタリア・フィレンツェ	『君主論』(政治学)
コペルニクス (1473-1543)	ポーランド	地動説
ミケランジェロ (1475-1564)	イタリア・フィレンツェ	『ダヴィデ像』(彫刻)『最後の審判』(壁画)
ガリレオ (1564-1642)	イタリア・ピサ	望遠鏡の改良、振り子の等時性
シェイクスピア (1564-1616)	イングランド	『ハムレット』『ヴェニスの商人』(戯曲)

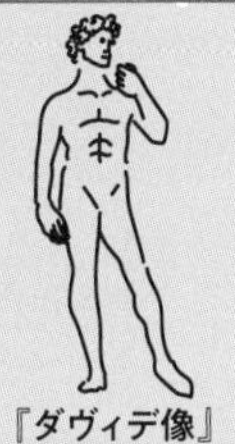
『ダヴィデ像』

『モナ・リザ』

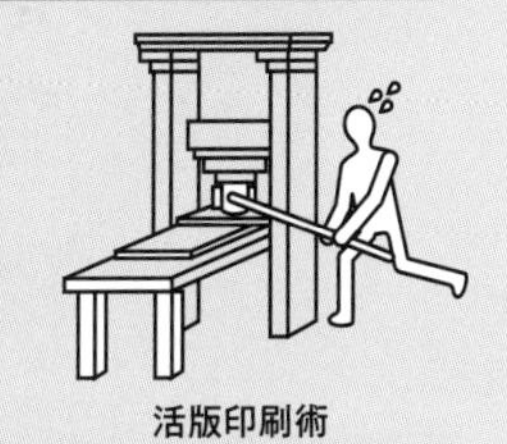
活版印刷術

大航海時代が進めた「世界の一体化」

1492年、コロンブスが大西洋を横断しバハマ到達

世界の貿易の構造が大きく変わる

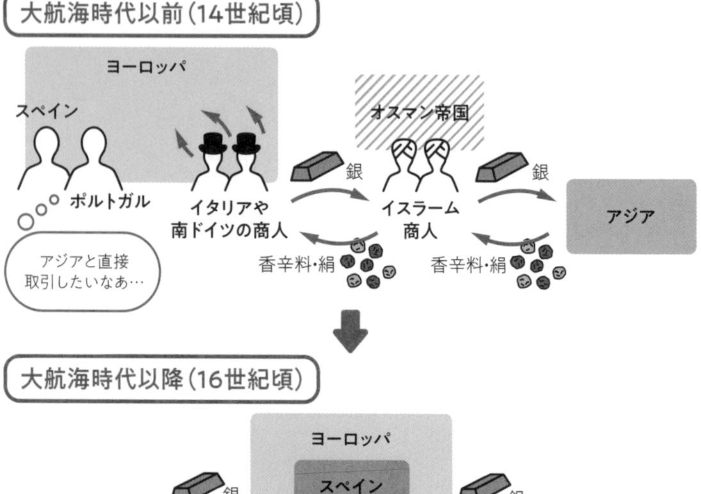

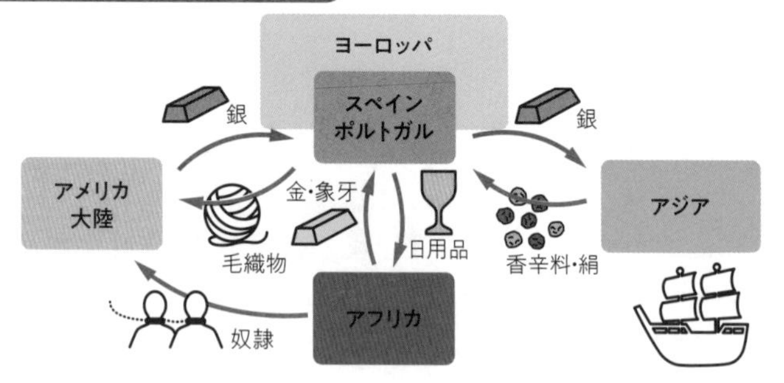

主役はポルトガルとスペイン

15世紀、ポルトガルとスペインが「**大航海時代**」に突入します。造船技術や羅針盤の改良、アジアの富や文化への関心、肉食の普及に伴う香辛料の需要の拡大、キリスト教の布教への情熱など、様々な要素が絡み合って実現したものと考えられています。

ポルトガルでは**バルトロメウ=ディアス**がアフリカ大陸南端の喜望峰に到達、続いて**ヴァスコ=ダ=ガマ**がインドに到達します。その後、ブラジルを植民地化したポルトガルは、東南アジアを経て、明代の中国、そして戦国時代の日本までたどり着きます。

スペインでは、1492年、スペイン女王の命を受けた**コロンブス**が大西洋を横断、現在のバハマのあたりに到達します。1519年には**マゼラン**の船団が大西洋から南米大陸の南端を回って太平洋を横断。マゼラン自身はフィリピン付近で亡くなったものの、彼の船団の1隻が世界周航に成功します。

「大航海時代」がもたらしたもの

その後、スペインはアメリカ大陸に軍を送り込み、現地のインカ帝国やアステカ帝国を征服。キリスト教化と先住民の労働力化を進めます。彼らが持ち込んだ伝染病の影響もあって、先住民インディオの人口は**10分の1まで減らされた**と伝えられています。その労働力の減少分を補うためにスペインがとった手段は、アフリカから**黒人奴隷**を連れてくることでした。

このようにして、ヨーロッパとアジア、アメリカ大陸、そしてアフリカを、**様々な交易品**と、そして当時メキシコや日本などで大量に産出されていた「**銀**」が結ぶ状況が訪れます。

資本主義経済が徐々に発達しながら、国際分業体制の礎が築かれていくこの流れを、「**世界の一体化**」と表現することもあります。

ヨーロッパ世界を二分した宗教改革

1517年、ルターが九十五ヵ条の論題を発表する

旧教と新教の対立

カトリック(旧教)

- 教皇・教会の権威を重視する。
- 人は信仰と善行によって救済される。

批判されたサン＝ピエトロ大聖堂はキリスト教の教会建築としては世界最大級の大きさ。

プロテスタント(新教)

ルター派

- 聖書を重視する。
- 人は信仰によってのみ救済される(信仰義認説)

身分制度などの社会構造の変化には反対したため、北ドイツの諸侯たち(支配者層)に受け入れられる。

カルヴァン派

- 聖書を重視する。
- 救われるかどうかは予め定められている(予定説)

営利・蓄財を肯定したため、商工業者たちに受け入れられやすく、資本主義の発達を後押しする。

※イギリスでは国王が教会を教皇から切り離し、国王を頂点とする「イギリス国教会」を組織する。

皇帝と諸侯の対立の狭間で

「ルネサンス」と「大航海時代」と並んで、ヨーロッパ近世の始まりを象徴するできごとが、16世紀に本格化した**「宗教改革」**です。

14世紀に入り、教皇権が徐々に衰退していくのに伴って、ローマ教会の腐敗を公然と批判する人々が現れ始めます。15世紀後半、神聖ローマ帝国のザクセン選帝侯の領内に生まれた**マルティン＝ルター**も、そういった人物のひとりでした。

1517年、ルターが発表した**「九十五ヵ条の論題」**は、サン＝ピエトロ大聖堂の修築のために大量の贖宥状（免罪符）を販売した教皇の批判を含むものでした。神聖ローマ皇帝・カール5世に自説を撤回するよう要求されたルターは、その要求を拒否し、皇帝と対立するドイツ諸侯たちの保護を得て活動を続けます。

資本主義の発展にも深く関わる

ルターの考えは、ルネサンスの成果のひとつである**活版印刷術**によって広がっていきます。ルター派の諸侯たちが帝国を脅かす勢力になっていったため、1555年、皇帝は諸侯に**カトリックかルター派かを選ぶ権利**を認めます。もともと諸侯の力が強く分裂的だったドイツは、宗教的にも分裂していくことになりました。

宗教改革については、スイスのジュネーブで活躍した**カルヴァン**も有名です。19世紀のドイツの社会科学者ヴェーバーは、職業上の成功や一定の蓄財を認めるカルヴァンの教えが、資本主義社会の成立に大きな影響を与えたと説明しました。

一連の批判を受けて、カトリック内部にも**自己改革の動き**が出てきます。この流れの中で、あらためてヨーロッパ世界の外にカトリックを布教するために結成されたのが**「イエズス会」**、あの**フランシスコ＝ザビエル**が所属していた修道会でした。

政略結婚で勢力拡大 名門・ハプスブルク家

1519年、神聖ローマ皇帝として カール5世が即位

ハプスブルク家が席巻するヨーロッパ(16世紀)

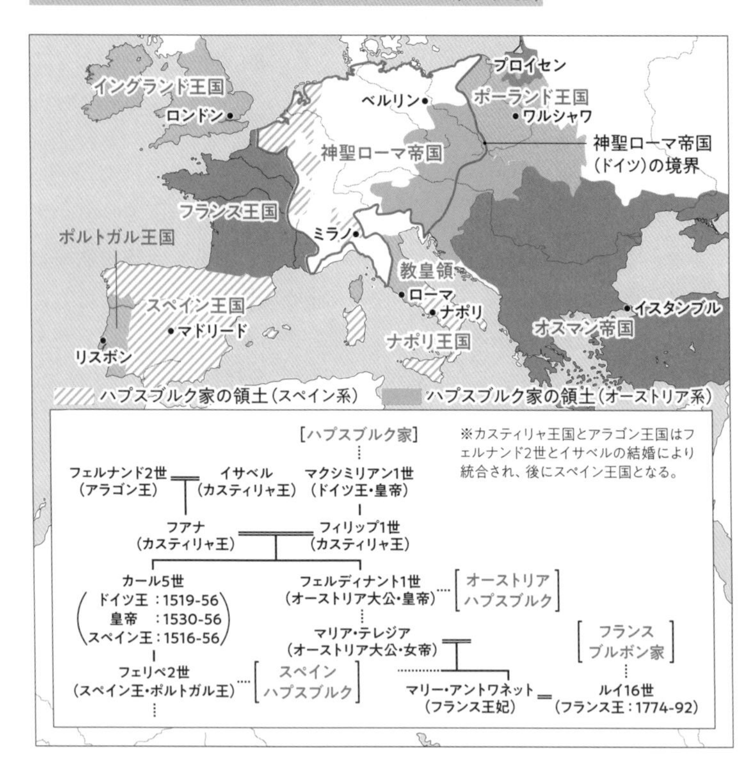

16世紀ヨーロッパの「主役」

このページでは、ルネサンスや大航海時代、宗教改革が本格的に進んだ16世紀のヨーロッパにおいて、もっとも強大な勢力となっていた**「ハプスブルク家」**について見ていきます。

もともと南ドイツ・オーストリアを拠点にしていたハプスブルク家は、神聖ローマ皇帝を選出する七選帝侯には選ばれなかったものの、15世紀中頃から皇帝の位を世襲する一家となります。

ハプスブルク家の特徴は**婚姻関係を利用した勢力拡大**です。1519年に帝位に就き、同家の最盛期を築いた**カール5世**は、現在のオランダやスペイン、南イタリアなどを含む広大な地域を支配しました。

ただ、彼には敵も多く、宗教改革を経てプロテスタントとなった北ドイツの諸侯たちやイスラームのオスマン帝国、キリスト教国であるにもかかわらずオスマン帝国と組んで対抗してきたフランスとの戦いに明け暮れながら、彼の皇帝としての日々は過ぎていきました。

スペインとオーストリアに分裂するハプスブルク家

カール5世の退位とともに、ハプスブルク家は**スペイン＝ハプスブルク家**と**オーストリア＝ハプスブルク家**に分裂します。

カールの息子が**フェリペ2世**として継承したスペイン＝ハプスブルク家は、新大陸を中心に植民地を広げたことから**「日の沈まぬ国」**と呼ばれるまでになります。ただ、17世紀に入ると、スペインのあとを追って世界の海に進出したオランダやイギリス、フランスなどに押されて衰退してきます。

カールの弟が**フェルディナント1世**として継承したオーストリア＝ハプスブルク家は、新たに勢力を拡大したプロイセンなどに押されながらも、第一次世界大戦に敗れて革命が起きる1918年までオーストリアを支配し続けました。

スペインから独立し最盛期を迎えるオランダ

1568年、オランダ独立戦争が始まる

オランダ独立戦争に参加した各州

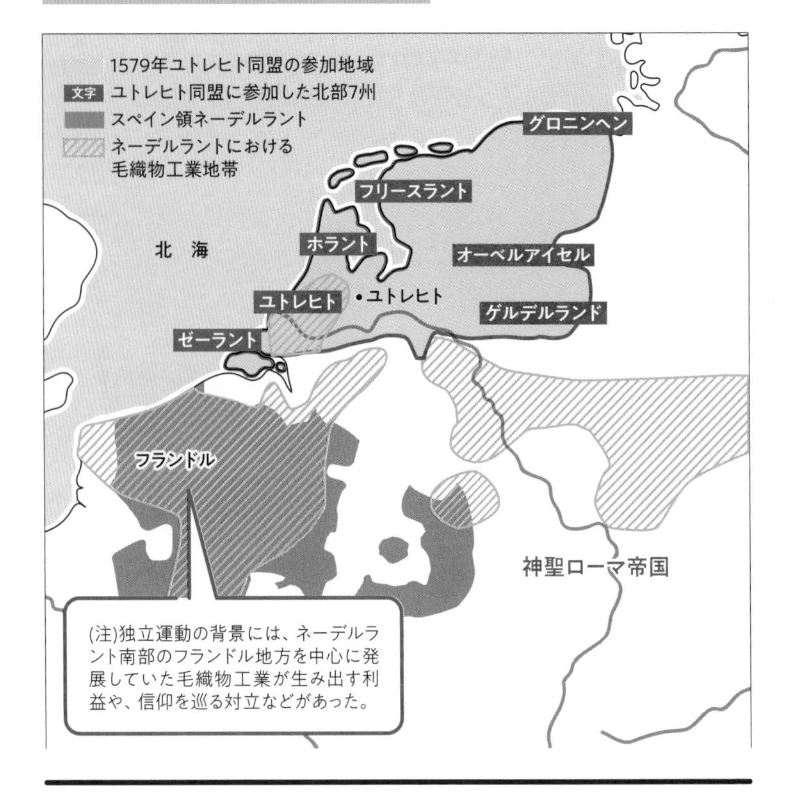

宗教対立から独立の機運高まる

現在、**オランダ・ベルギー・ルクセンブルクの3国**がある地域を**「ネーデルラント」**と呼びます。16世紀半ば、スペイン＝ハプスブルク家に支配されていたネーデルラントの北部、現在のオランダにあたる地域が独立に向けて動き出します。

きっかけのひとつは宗教対立でした。特に商業が栄えていた北ネーデルラントでは、商工業者と相性の良いプロテスタント・カルヴァン派が増えていました。「物乞い」を意味する**「ゴイセン」**と呼ばれた彼らは、カトリック化政策を進めるスペイン＝ハプスブルク家のフェリペ2世と戦う決意を固めます。

オランダ独立戦争は1568年に始まりました。スペインは南部の切り崩しに成功しますが、北部の7州は**ユトレヒト同盟**を結成し、スペインとの戦いを続けます。

大航海時代の主役のひとりに

1588年、スペインは、オランダを支援していたエリザベス1世が治めるイギリスに、当時**「無敵艦隊」**と呼ばれた艦隊を送りますが、海賊ドレーク率いるイギリス海軍がこれを撃破します。

オランダは1602年、世界初の株式会社と呼ばれる**「連合東インド会社」**を設立。大航海時代の先駆けであるスペインやポルトガルを押しのけて、インドや東南アジア、東アジアを巡る**貿易の主役**となり、新大陸にも進出します。

1609年の休戦条約をもって事実上の独立を手にしたオランダの繁栄は、17世紀後半、イギリスとの覇権争いに敗れるまで続きます。ちなみに、スペインに残った南ネーデルラントは、その後、オーストリアやフランス、オランダの支配を受け、最終的に1830年、**ベルギー王国**として独立を達成しました。

テューダー朝 イギリス・絶対王政

1588年、アルマダ海戦でイギリスがスペインを破る

テューダー朝の王たち

ヘンリ7世（位1485-1509）
バラ戦争を生き延び、王位に就く。スペインとの関係を強化するために、スペイン王女キャサリンを長男の妻に迎えるが、長男が早世したため、次男と再婚させた。

ヘンリ8世（位1509-47）
ヘンリ7世の次男。妻キャサリンとの離婚に、当時の教皇と、キャサリンの甥にあたる神聖ローマ皇帝カール5世が反対したのを受け、ローマ教会から離脱するためにイギリス国教会を設立する。

エドワード6世（位1547-53）
ヘンリ8世の息子。15歳で病死。

メアリ1世（位1553-58）
ヘンリ8世とキャサリンの娘。イギリス初の女王。後のスペイン王フェリペ2世と結婚し、カトリックの復活を企図して多くの新教徒を殺害したため「ブラッディ=メアリ」と呼ばれた。

エリザベス1世（位1558-1603）
メアリ1世の異母妹。姉のカトリック復帰策を否定し、イギリス国教会を確立する。オランダの独立を支援する過程でスペインの艦隊を破り、後に世界の海に進出するための足掛かりを築いた。

当時、フランスやスペインに比べればまだまだ小国であったイギリスが「無敵艦隊」と呼ばれたスペインの艦隊を食い止めたことは、ヨーロッパ世界を驚かせた。

絶対的ではなかった「絶対王政」

百年戦争に敗北し、大陸の領土のほとんどを失ったイギリスでは、続いて**バラ戦争**と呼ばれる内乱が起きます。合わせて約140年続いたこれらの戦争がもたらしたのは、諸侯の没落と、それに伴う王権の強化でした。戦争終了後、強い王権を手にしたテューダー朝のもとで、イギリスは**「絶対王政」**の時代を迎えます。

「絶対王政」とはいいますが、近年では、この時代の王権はそこまで絶対的なものではなかったと考えられています。王権は、当時の身分制度や、**ギルド**と呼ばれる同業者組合、都市・農村の共同体といった様々な団体とのバランスの上に成立していたようです。

特にイギリスでは、このころから**「ジェントリ」**と呼ばれる地主層が大きな力をもち始めます。旧来の大貴族と農民の中間に位置する彼らは、次第に議会の多数派を占めるようになり、やがて絶対王政を倒す革命の主体となっていきます。

植民地獲得競争へ参戦

さて、そのイギリス絶対王政の時代の王家・テューダー朝の2代目の王が**ヘンリ8世**です。彼は1534年に**「首長法」**を定め、国王を頂点とするイギリス国教会を設立し、カトリック世界から離脱する道を選びました。イギリスにおける宗教改革です。

テューダー朝は5代目の**エリザベス1世**の時代に全盛期を迎えます。当時、広大な植民地を抱え**「日の沈まぬ国」**と呼ばれていたスペインの艦隊を相手に**「アルマダ海戦」**を戦い、これに勝利したイギリスは、植民地の獲得競争に本格的に乗り出していきます。

ただ、**「私は英国と結婚した」**という言葉通り、彼女は子を残さずに亡くなったため、テューダー朝は断絶。イギリスはステュアート朝の時代＝2度にわたる革命の時代を迎えます。

ブルボン朝 フランス・絶対王政

1598 年、アンリ 4 世、ナントの王令で信仰の自由を認める

諸国が抱える複雑な対立

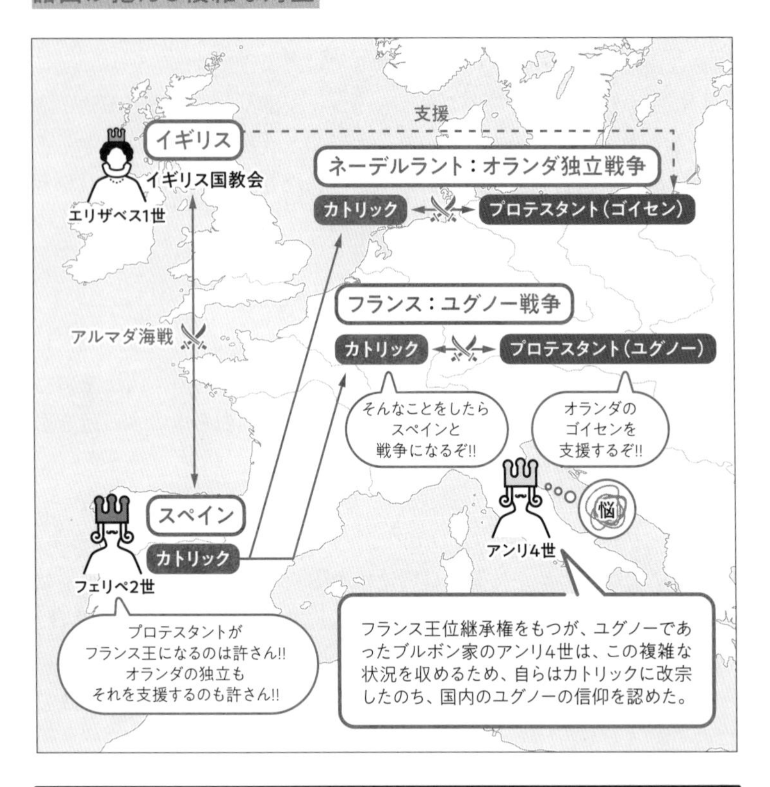

新教と旧教の対立を収めたアンリ４世

百年戦争で王権が強化されたのはイギリスだけではありません。同じく諸侯たちが没落したフランスでも同様の流れが生じています。

大陸内のイギリス領土をほぼ奪還した**フランス・ヴァロワ家**の次の敵は、フランスを囲むように勢力を拡大した**ハプスブルク家**でした。ときに戦争に発展した両家の対立は、その後も200年近く続きます。

そんな中、フランスでも「**ユグノー**」と呼ばれるプロテスタントが増え、諸侯たちが新教側と旧教側に分かれて争う「**ユグノー戦争**」に発展します。40年近く続いたこの戦争でヴァロワ朝は断絶し、代わってブルボン朝が立ちます。

ブルボン朝最初の王・**アンリ4世**は、旧教勢力を納得させるために自らはカトリックに改宗しながら、1598年、**個人の信仰の自由**、すなわちユグノーの信仰を認める「**ナントの王令**」を発することで内乱を収め、国家のまとまりを維持することに成功します。

フランス絶対王政の全盛期

アンリ4世の子、**ルイ13世**は宰相リシュリューとともに王権をさらに強化していきます。自らはカトリック教徒であるにもかかわらず、ドイツの内乱「**三十年戦争**」に新教側について介入し、宿敵ハプスブルク家を弱体化させることに成功します。

そして、ブルボン朝におけるフランス絶対王政は、続く**ルイ14世**の時代に全盛期を迎えます。ただ、ナントの王令の廃止、複数回に及ぶ成果の乏しい対外戦争、多額の宮廷費を賄うための重税といった彼の政策は、庶民たちを苦しめ、やがて18世紀後半に訪れる「**フランス革命**」の原因となりました。

神聖ローマ帝国解体 主権国家体制が実現

1648年、ウェストファリア条約が結ばれる

旧教国でありながら新教側についたフランス

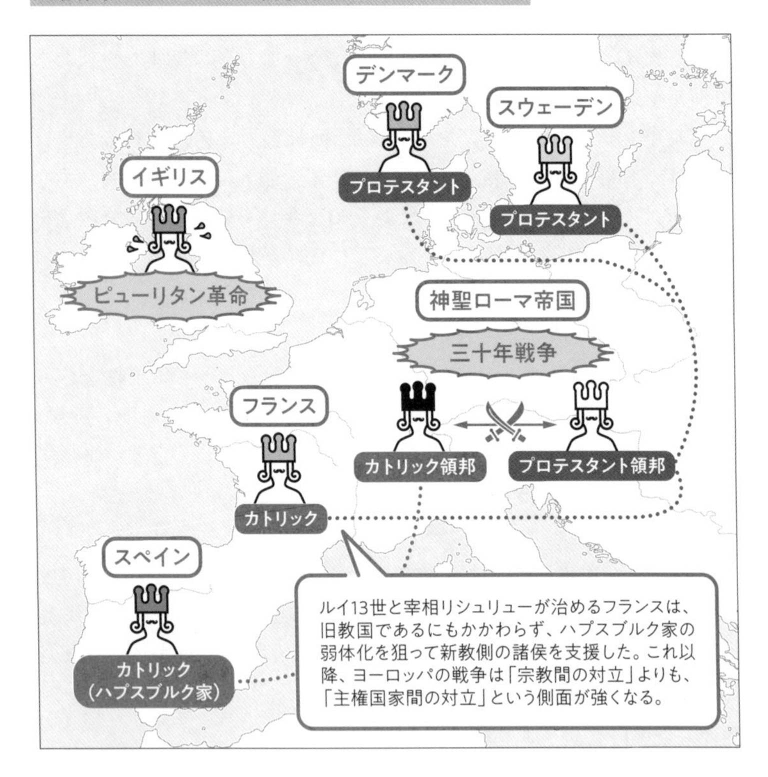

各国の思惑が交錯する「三十年戦争」

1618年、ハプスブルク家が支配する神聖ローマ帝国でも大きな内乱が発生します。**「最後の宗教戦争」**ともいわれる**「三十年戦争」**です。

発端となったのは、**旧教側**の神聖ローマ皇帝・ハプスブルク家と**新教側**の諸侯たちの対立です。**宗教を巡る対立の構図**は、オランダ独立戦争や、フランスのユグノー戦争と同じものです。

この対立に、ハプスブルク家が支配するスペインや、新教側を支援するデンマーク、スウェーデン、フランスなどが介入したことで、戦争は拡大、長期化していきます。

ハプスブルク家と反ハプスブルク国家の対立に発展したこの戦争は、ハプスブルク家の敗北で終わります。この戦争の終結にあたって1648年に結ばれたのが**「ウェストファリア条約」**です。

主権国家体制の確立

この条約のもつ意義はとても重要なものです。帝国内の領邦に、独立した国家がもつ**「主権」**が認められたため、神聖ローマ帝国は事実上解体します。神聖ローマ帝国自体はこのあともしばらく残りますが、ほぼオーストリアと同義の存在となります。

国王の上に立つ皇帝が、その実権を失ったことで、対等の関係にある独立した「国家」によって成立する国際秩序がヨーロッパにおいて実現しました。これを**「主権国家体制の確立」**と表現します。

この条約を通じて、スイスとオランダの独立が国際的に承認され、フランスは資源が豊富な**アルザス地方**を獲得しました。この地域はこのあとも、継続的にフランスとドイツの対立の火種となります。

三十年戦争後、東方では**ロシア**が、そしてドイツではハプスブルク家に代わって**「プロイセン公国」**が、勢力を拡大していきます。

PART 6

近代の到来とアメリカの独立

【17世紀～19世紀】

イギリスから始まった産業革命や、
フランス革命、そしてアメリカの独立を経て、
欧米諸国は「近代」に突入します。
一度燃え上がった「自由主義」や「ナショナリズム」の炎は、
瞬く間に各地に広がっていきます。

イギリス、国王を処刑し一時的に共和政へ

1649年、イギリスで共和政成立が宣言される

議会の中でピューリタンの不満が爆発

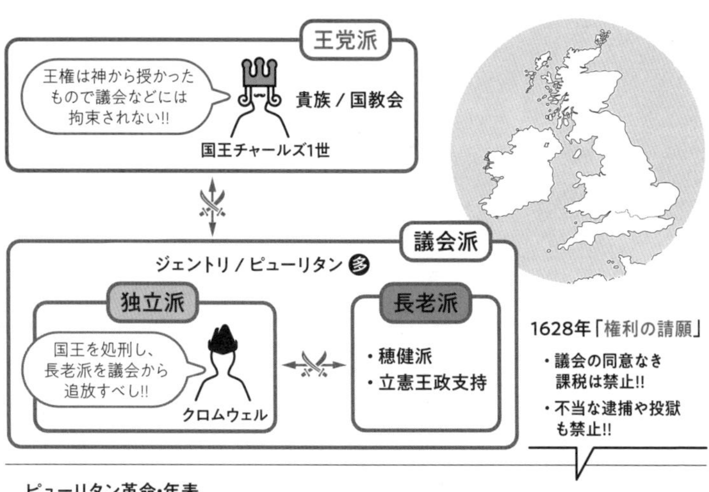

ピューリタン革命・年表

1603年	エリザベス1世死去 スコットランド王ジェームズ6世がジェームズ1世として即位し、ステュアート朝が始まる。
1625年	チャールズ1世即位
1628年	議会、「権利の請願」を可決
1629年	国王、議会を解散
1639年	スコットランドで反乱勃発
1640年	国王、11年ぶりに議会を召集 ピューリタン革命勃発
1641年	アイルランドで反乱勃発
1649年	国王処刑、共和政が始まる クロムウェル、アイルランド征服
1650年	クロムウェル、スコットランド征服
1658年	クロムウェル死去
1660年	チャールズ2世即位、王政復古

この間、共和政（イギリスの歴史で国王が不在なのはここだけ）

イギリスを襲う2つの革命

ヨーロッパにとって17世紀は、気温の低下が引き起こす**飢きんやペストの流行**、三十年戦争に代表される**数々の紛争**などに苦しめられた**「危機の世紀」**でした。危機とそれがもたらす社会不安は、島国イギリスにも及び、イギリスは17世紀の間に**2つの革命**を経験することになります。ひとつずつ見ていきましょう。

1603年、**エリザベス1世**が子どもを残さずに亡くなると、隣国スコットランドの王がイギリス王位に就きます。自らが仕切るイギリス国教会への信仰を強制しようとした新王に対し、**「ピューリタン」**と呼ばれる国内のカルヴァン派は、徐々に不満を高めていきます。

国王が、三十年戦争に介入する戦費を議会の同意なしで集めようとしたことなどを受けて、1628年、ピューリタンが多数を占める議会は、国王を批判する**「権利の請願」**を可決しました。

国王が処刑され不在に

これに対して国王は、しばらくの間、**議会を開催しない**という対抗策に出ますが、やがてスコットランドで起きた反乱を鎮圧するための資金＝課税が必要になったため、1640年に仕方なく議会を召集。これをきっかけに**議会派**と**王党派**の対立が激化します。

スコットランドとアイルランドを巻き込む形で拡大したこの紛争の中で、ジェントリ出身の**クロムウェル**という人物が議会派を軍事的勝利に導きます。権力を握った彼は、1649年、国王**チャールズ1世を処刑**し、議会から対立する勢力を排除。アイルランドとスコットランドを征服しながら、独裁体制を固めていきます。

これがいわゆる**「ピューリタン革命」**や**「三王国戦争」**と呼ばれるできごとです。革命の中で独裁者が出現するのは、世界史においては定番ともいえるパターンです。

イギリス、立憲君主制に移行

1689年、国王が「権利の宣言」を受け入れる（名誉革命）

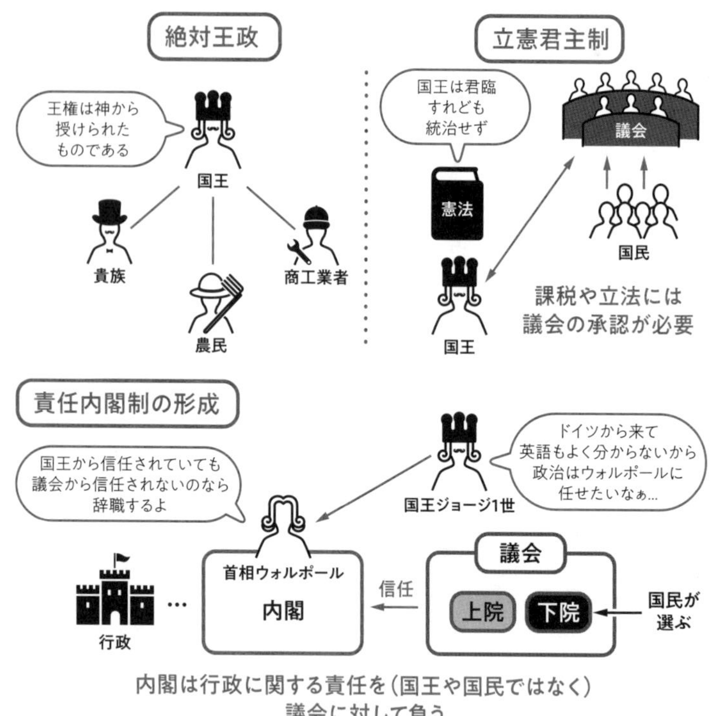

主権は国王から議会へ

クロムウェルの強権的な独裁は、やはり長くは続きません。王政復古を望む声は大きく、クロムウェルの死後、大陸に逃れていた王子が国王として即位し、イギリスにおける**共和政（＝王のいない状態）**はわずか11年で幕を閉じます。

しかし、国王がカトリック化を推し進めようとするなど、またしても専制的になってきたため、議会は国王の追放を決断します。

1689年、議会は、新たな国王に、議会や国民の様々な権利を認めさせる「権利の宣言」に署名するよう迫り、国王はこれを承諾します。この文章は同年のうちに**「権利の章典」**として立法化されました。

先の「ピューリタン革命」と、この**「名誉革命」**と呼ばれる一連のできごとを経て、イギリスは「絶対王政」から、議会が主権をもつ**「立憲君主制」**に移行していきます。これは政治の民主化に向けた大きな一歩ではありましたが、参政権はまだまだ一部の富裕層にしか認められていなかったようです。

責任内閣制の浸透

やがて18世紀に入り**ステュアート朝**が断絶すると、議会が制定した法律に基づいて、遠縁であるドイツ・ハノーヴァー家の**ジョージ1世**が国王に迎えられます。

ジョージ1世は**ウォルポール**という政治家を重用しましたが、ある選挙でウォルポールが属する政党が敗北した際、彼は、国王の信任を得ていながらも**閣僚を辞する**という決断をくだします。

このようにして、イギリスでは、**議会の多数派が内閣を構成**し、内閣は国王ではなく議会に対して責任を負うという「責任内閣制」と呼ばれるシステムが形作られていきました。

18世紀イギリスにて「産業革命」が進む

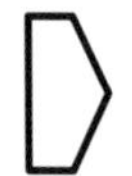

1776年、ワットが蒸気機関を改良

産業革命を実現させた種々の要因

資本
新大陸やアジアとの貿易で稼いだ富と毛織物工業の発展

需要
インドから輸入している綿織物を自前で生産したいというニーズ

労働力
農業が効率化されて農村で仕事がなくなってしまった人々

イギリス革命
生産者の権利が守られるようになってきた!

資源
国内で採れる石炭や植民地からもたらされる綿花

科学革命
自然科学や合理的思想の発達

技術革新 機械の発明・改良

動力革命 蒸気機関の開発

交通革命 蒸気機関車や蒸気船の発達

綿花

綿製品

植民地
（インド、ニューイングランドなど）

工場建設の制約が取り払われる

アメリカ大陸やアジアの**植民地からもたらされる富**や、度重なる戦争の中で磨かれていった**合理的な社会システム**、2つの革命によって**生産者の権利**が認められていったことなど、様々な要素が絡み合い、18世紀、イギリスは世界に先駆けて「**産業革命**」と呼ばれる技術革新の時代を迎えます。

綿糸や綿織物を生産する機械に次々と改良が加えられ、繊維産業を中心に、熟練の職人を必要としない部分が増えていきます。

初期の動力は**水力**でした。しかし、水力に頼っているうちは高低差がある山間部にしか工場を建てることができません。その課題を克服したのが「**蒸気機関**」です。石炭を燃やしてお湯を沸かし、蒸気の力で機械を動かすこのシステムは、工場を建てられる場所の制約を大きく減らし、人が集まりやすい平地に大規模な**工業都市**を発展させることを可能にしました。

本格的な資本主義社会が到来

技術革新の波は様々な分野に及び、社会構造を大きく変えていきます。**蒸気船**や**蒸気機関車**といった交通機関の発達は、工業都市や農村、炭鉱地帯などを結びつけ、**人口の流動化**と**工業化社会**への転換を促進していきました。

また、工場などを所有する「**資本家**」が多数の「**労働者**」を雇用して利益を上げる、本格的な**資本主義社会**の到来を招いたのも産業革命がもたらした影響のひとつです。低賃金で雇われた労働者の劣悪な生活環境や公害といった新たな社会問題も発生しました。

社会構造や人々のライフスタイルなどを大きく変えたこの産業革命を経て、「世界の工場」としての地位を確立したイギリスは、19世紀、世界的な覇権国家として空前の繁栄を迎えます。

「近代ヨーロッパ④」は148ページへ

COLUMN
ロシア・ポーランド・プロイセン（〜18世紀）

18 世紀までの三国の歴史

このページでは、18世紀までの**ロシア**、**ポーランド**、そして**プロイセン**の動きを簡単にまとめます。

9世紀にノルマン人とスラブ人が作った「**キエフ公国**」は、モンゴルの攻撃を受けて滅びてしまいますが、15世紀に入ると、「**モスクワ大公国**」がキプチャク＝ハン国から独立を果たします。

滅亡したビザンツ帝国の後継国家を自負しながら勢力を拡大していったモスクワ大公国は、やがて、「**ロシア帝国**」となります。

ロシアは、17世紀から18世紀にかけて、**ピョートル大帝**や**エカチェリーナ2世**といった皇帝のもとで近代化や領土の拡張を進め、徐々に大国化していきました。

そのロシアの西に位置するのが**ポーランド**です。10世紀頃、スラブ人が作った王国で、こちらも13世紀にモンゴル軍との戦いに敗れましたが、モンゴルの支配を受けることは免れました。

やがて、十字軍運動の中で生まれたドイツ騎士団との勢力争いが激しくなると、北方のリトアニアと連合して**ヤギェウォ朝**を興し、ドイツ騎士団に対抗します。

こうして東欧の大国となったポーランドでしたが、貴族層が強かったこともあって、王権による「主権国家」の形成は進みません。18世紀後半、**ロシア、プロイセン、オーストリアに分割**されたポーランドは、いったん**地図から消滅**してしまいます。

独立したプロイセンは強国化

16世紀にポーランドの従属国として誕生した「**プロイセン公国**」は、やがて神聖ローマ帝国の七選帝侯の領邦のひとつと結び、ポーランドから独立を果たします。公国から王国となったプロイセンは、三十年戦争を経て、ハプスブルク家が支配するオーストリアを脅かす存在となっていきました。

1756年、プロイセンとオーストリアは「**七年戦争**」を始めます。オーストリアは、200年来の宿敵・フランスと手を組んでこの戦争に臨みますが、戦争はイギリスなどの支援を受けたプロイセンに有利な状態で終わり、プロイセンは**イギリス、フランスに次ぐ強国**となります。

このときイギリスとフランスは、アメリカやインドでも戦闘を繰り広げており、これらに勝利したイギリスは、1763年に結ばれたパリ条約で、**植民地獲得競争における覇者**としての地位を確立しました。

COLUMN

アメリカの植民地化（15世紀末〜18世紀）

スペイン・ポルトガルによる侵略

さて、しばらくヨーロッパの話が続きましたが、ここでいったんアメリカ大陸に目を向けてみましょう。

古来アメリカ大陸では、中米の**メソアメリカ文明**と南米の**アンデス文明**に分類される、数々の文明や王国が興亡を繰り返していました。

14世紀に入ると、現在のメキシコ南部に「**アステカ帝国**」が成立します。また、同じころ、南米の太平洋側では「**インカ帝国**」が全盛期を迎えていました。

こうした状況は、15世紀末のスペインとポルトガルの襲来によって一変します。特にスペインは、アステカ帝国とインカ帝国を立て続けに征服し、**先住民を奴隷としながら**大陸を積極的に植民地化していきました。

英仏の進出とピルグリム・ファーザーズ

17世紀に入ると、スペインから独立を果たしたオランダが大陸への進出を始めます。オランダは、当時、多くのインディアンが遊牧や農耕を営んでいた北米にも進出し、東岸に**ニューネーデルラント植民地**を拓きます。

同時期、フランスとイギリスも新大陸への進出を進めていました。特に、1620年、イギリス国教会の強制に反発して大陸に渡ったピューリタンの移住者たちは、「**ピルグリム・ファーザーズ**」として知られています。

国力を増強したイギリスは、やがてニューネーデルラント植民地をオランダから奪います。また、フランスとも激しい抗争を続け、最終的に1763年のパリ条約で、**フランスの新大陸への干渉をほぼ排除**することに成功しました。

ただ、イギリスが植民地に重い税を課したこともあって、今度は**イギリス本国と植民地の対立**が激しさを増していきます。

産業革命の原動力のひとつとなった三角貿易

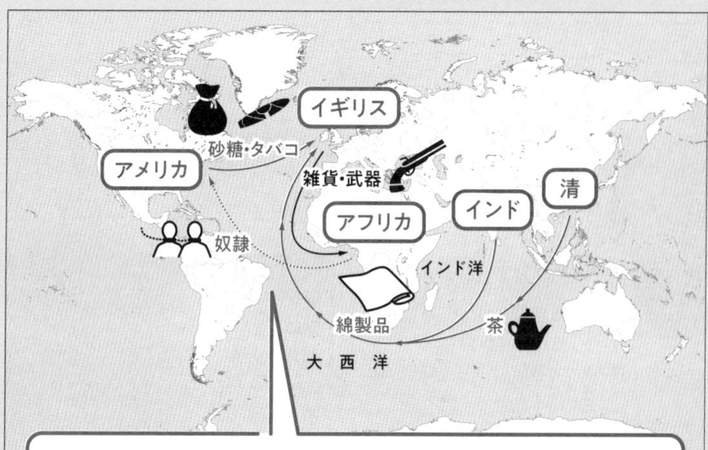

大西洋三角貿易

武器や雑貨などの工業製品をアフリカに運び、それと引き換えに得た黒人奴隷をアメリカ大陸に送り込み、そしてアメリカ大陸で黒人奴隷を働かせて生産した綿花や砂糖、たばこなどをヨーロッパに持ち帰るという、大西洋を舞台にして行われたこの貿易を「三角貿易」と呼ぶ。

一方、アジア方面では、中国で生産された茶や陶磁器、インドで生産された綿織物などを銀で購入する一方的な貿易が続けられた。こちらの貿易は少なくとも帳簿上は「赤字」となるため、イギリスではこういった製品の生産、特に綿織物の生産を国内で進めたいという欲求が発生した。

これが綿織物産業を中心に「産業革命」が起きるきっかけのひとつとなった。

13植民地、イギリスから独立し合衆国に

1776年、13植民地の代表が「独立宣言」を発表

本国と植民地との対立の末に

アメリカ独立戦争（1775-1783）

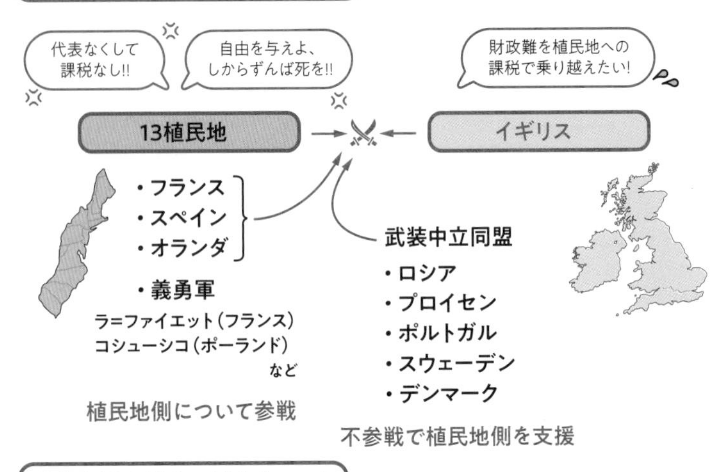

「合衆国憲法」の制定（1787）

人民主権	君主不在（共和政）
連邦主義	中央政府の権限は軍事や外交などに限られる
三権分立	国家権力を大統領、連邦議会、最高裁判所に分散

課税強化から対立深まる

度重なる戦争で経済的に苦しくなったイギリスは、本国の商工業を保護するために、北米に建設した13の植民地に様々な制限を課し、また**課税を強化**していきます。

これに対し、植民地の人々は、マグナ＝カルタ以来の「課税には議会の同意が必要」という理屈を応用し、植民地の代表がイギリス議会にいないことを理由に**本国からの課税に反対**します。

この対立は、やがて武力衝突に発展し、1776年7月4日、13植民地の代表は**「独立宣言」**を発表します。基本的人権の存在と、それに基づく圧政への抵抗権を認めたこの文章は、**近代民主主義の発展**にとても大きな影響を与えるものとなっています。

1775年に始まった独立戦争は、イギリスをけん制したいフランスやスペイン、オランダが植民地側について参戦したのもあって、最終的に1783年に**イギリスが13植民地の独立を認める**形で終結しました。

合衆国内の対立と憲法

ただ、13の植民地は、**宗派**や**産業構造**がそれぞれ異なっており、独立当初、いわゆる中央政府はなきに等しい状態でした。さすがにこれでは国としてのまとまりを維持できないということで、1787年に国全体のルールを検討する憲法制定会議が開かれます。

中央政府の権限強化を主張する**「フェデラリスト」**と、各州の独立性を重視する**「アンチ＝フェデラリスト」**の妥協の産物として、同年**「合衆国憲法」**が制定され、2年後、連邦政府が発足、独立戦争において総司令官を務めたワシントンが初代大統領に就任しました。

国家としての基盤を固めた合衆国は、ヨーロッパの干渉を牽制しながら、先住民の土地や命を奪いつつ、**西に国土を拡大**していきます。

「アメリカ②」は154ページへ

自由と平等を謳ったフランス革命の結末

1789年、バスティーユ牢獄襲撃、革命の火ぶたが切られる

フランス革命・年表

年	月	出来事
1789年	5月	三部会招集
	6月	国民議会成立（「テニスコートの誓い」）
	7月	バスティーユ牢獄襲撃 国民議会を支持する人々が、国王の専制政治の象徴であった牢獄を襲撃。同様の暴動が各地に広がり、革命が始まる。
	8月	「人権宣言」採択 自由権や平等権、圧政への抵抗権、国民主権、私有財産の不可侵性などが規定される。
1791年	6月	ヴァレンヌ逃亡事件（国王が国外脱出に失敗）
	9月	1791年憲法制定（制限選挙・立憲君主制）
1792年	4月	オーストリアに宣戦布告（革命戦争勃発）
	9月	王政廃止、第一共和政スタート
1793年	1月	国王ルイ16世処刑
	6月	ロベスピエールらによる独裁本格化（恐怖政治） 1793年憲法制定（男子普通選挙・共和政）
1794年	7月	ロベスピエール処刑
1795年	8月	1795年憲法（制限選挙・共和政）
1795年	10月	総裁政府成立
1799年	11月	ブリュメール18日のクーデタ 総裁政府を倒し、新たに統領政府を樹立したナポレオンが革命の終結を宣言する。

国民議会を立ち上げ身分制を否定

度重なる戦争で財政が苦しくなった**ブルボン王家**は、1789年、ルイ13世の時代から開かれていなかった身分制議会「**三部会**」の召集を決定します。

聖職者・貴族・平民の代表から成る三部会の運営に不満をもった平民の代表は、やがて三部会から離脱、新たに「**国民議会**」を立ち上げ、同年、身分制社会を否定する「**人権宣言**」を発表します。

こうして始まった革命は、その広がりを恐れる周辺国家との戦争を招きます。オーストリアやプロイセンなどとの戦いにおいて窮地に立たされたフランスには、危機を乗り越えるための強権的な独裁政権が生まれる素地ができてしまいます。

独裁者自身も断頭台へ

ロベスピエールを指導者とする議会の急進派は、1793年に国王ルイ16世を処刑し、反対派を次々に断頭台に送り込む「**恐怖政治**」を進めますが、この独裁も長くは続きません。周辺諸国との戦局が好転していく中、社会から不要とみなされたロベスピエールは、翌1794年に失脚、彼自身も断頭台の露と消えます。

独裁者を追放したフランスは、5人の総裁に権力を分散した**総裁政府**を立ち上げます。この不安定な政権は、革命が身分の差を否定したからこそ目に付くようになった、貧富の差や男女の差、自由と平等のバランスといった数々の課題に直面します。ブルボン朝の復興を求める人々も少なくなかったようです。

「**近代**」への**転換点**において噴出した数々の課題の中でのたうちまわるフランスに、やがて一人の「英雄」が現れます。**ナポレオン＝ボナパルト**。コルシカ生まれの若者でした。

革命の成果を広げた
ナポレオンの支配

1804年、ナポレオン、「皇帝」を称する

「フランス革命の申し子」の事績と生涯

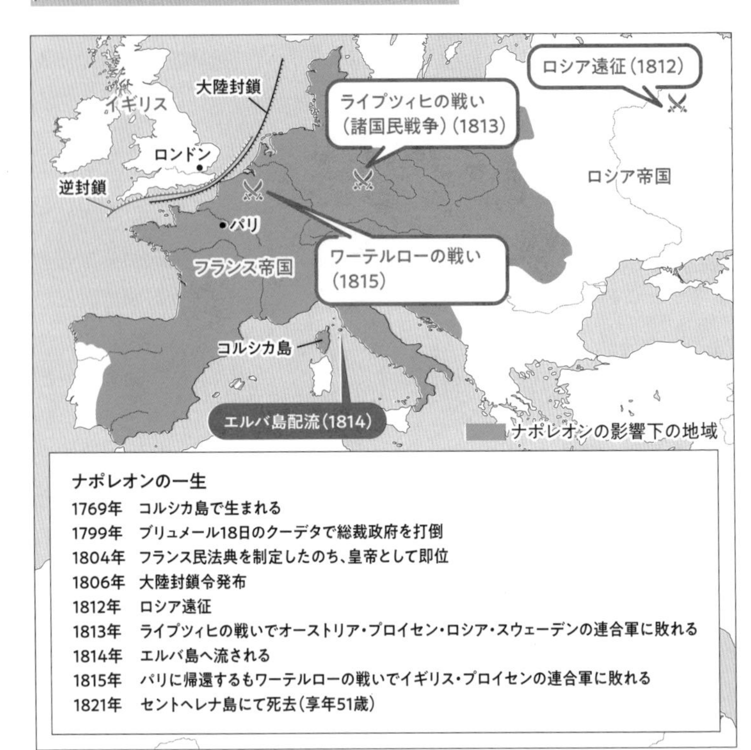

ナポレオンの一生

1769年　コルシカ島で生まれる
1799年　ブリュメール18日のクーデタで総裁政府を打倒
1804年　フランス民法典を制定したのち、皇帝として即位
1806年　大陸封鎖令発布
1812年　ロシア遠征
1813年　ライプツィヒの戦いでオーストリア・プロイセン・ロシア・スウェーデンの連合軍に敗れる
1814年　エルバ島へ流される
1815年　パリに帰還するもワーテルローの戦いでイギリス・プロイセンの連合軍に敗れる
1821年　セントヘレナ島にて死去(享年51歳)

ナポレオンの栄枯盛衰

1799年、周辺国家から加えられる圧力にうまく対応できないフランスの総裁政府に対し、軍事的な成功を積み重ねながら頭角を現した軍人**ナポレオン**がクーデタを決行。新たに統領政府を発足させ、**革命の終結**を宣言します。

1804年に皇帝を称し、ナポレオン1世として即位した彼は、**オーストリア、ロシア、さらにはプロイセンとの戦いに勝利**します。

フランスの産業を育成したかったナポレオンは、1806年、ヨーロッパ諸国とイギリスの貿易を禁じる**大陸封鎖令**を発布しますが、これに対する報復としてイギリスが**海上封鎖**を実施したため、貿易が難しくなった大陸諸国ではナポレオンに対する反感が高まっていきます。

大陸封鎖令を破った**ロシアへの遠征に失敗**したナポレオンは、続いてオーストリアやプロイセン・ロシアなどの連合軍との戦いにも敗れて失脚。フランスでは、革命で処刑されたルイ16世の弟が**ルイ18世**として即位し、ブルボン朝が復活しました。

自由主義とナショナリズムの広がり

身分制や君主の支配を否定し、個人の権利を重視しようという思想を「**自由主義**」と呼びます。また、自らを「○○国民」と認める人々の集まりとしての国家（＝国民国家）を作ろうとする思想を「**ナショナリズム**」と呼びます。

フランス革命の成果ともいえるこれらの思想は、ナポレオンの大陸支配を通してヨーロッパ中に輸出され、そして、ナポレオンの支配を終わらせる原動力ともなりました。

とはいえ、この動きが歴史に与えた影響はあまりに大きく、このあとヨーロッパは強烈な「**反動」の時代**を迎えます。

燃え盛る自由主義とナショナリズムの炎

1814年、ヨーロッパ各国の代表がウィーン会議で協調を図る

正統主義では抑え込めなかった反政府運動

「会議は踊る、されど進まず」の言葉は「ウィーン会議」を風刺したもの

- ヨーロッパを革命前の状態に戻そう（正統主義）
- 「自由主義」と「ナショナリズム」を抑え込もう

反発

1817〜19	ブルシェンシャフト運動（ドイツ） 自由主義的な統一ドイツを求める学生運動
1820〜21	カルボナリの乱（イタリア） 自由主義的な統一イタリアを求める秘密結社による革命
1820〜23	スペイン立憲革命（スペイン） 国王に憲法の制定を求める軍人たちによる反乱
1825	デカブリストの乱（ロシア） 皇帝の専制に反感をもつ青年将校たちの反乱
1830	七月革命（フランス） パリの市民たちが蜂起し、ブルボン家の王を追放

その後も各地で反乱は続く……

止まらない反政府運動

1814年、フランス革命と一連のナポレオン戦争で混乱したヨーロッパの国々の代表が一堂に会し、**「ウィーン会議」**が開かれます。

この会議は、**「正統主義」（＝できるだけ革命以前の状態に戻そうという考え）**に沿って、各地の国境問題を整理していこうとしました。

同時に、自由主義を掲げて革命を起こし、国民国家の誕生を目指すナショナリズム的な動きを抑え込むことを目的とした同盟が、オーストリアやプロイセン、ロシアなどの間で結ばれます。

しかし、一度燃え上がった自由主義とナショナリズムの炎は簡単には消えるものではありませんでした。ドイツやイタリア、ロシアでは立て続けに**反政府運動**が発生します。スペインでも憲法制定を求めて兵士たちが立ち上がり、フランスでは、1830年、国民の参政権を制限しようとした国王を民衆が追放する**「七月革命」**が起きます。

独立を利用しようとする動きも

こうした運動の多くは政府によって弾圧されていきましたが、とはいえ、**弾圧する側の足並み**も徐々に乱れていきます。

当初からウィーン体制と距離を置いていたイギリスは、新大陸において勢力を拡大すべく、南アメリカにおける**スペインの植民地の独立を支持**します。**オスマン帝国から独立しようとしていたギリシア**を巡っては、オスマン帝国を支持するオーストリアと、混乱に乗じて南に領土を広げたいロシアが対立するようになりました。

フランス革命とナポレオン戦争、そしてそれに続く**ウィーン体制**がヨーロッパ中にもたらしたこれらの混乱は、この後、1848年にひとつのピークを迎えることになります。

「近代ヨーロッパ⑦」は162ページへ

欧州に相互不干渉を求めるアメリカ

1823年、モンロー大統領がモンロー教書を発表

アメリカ大陸全体への干渉を拒否

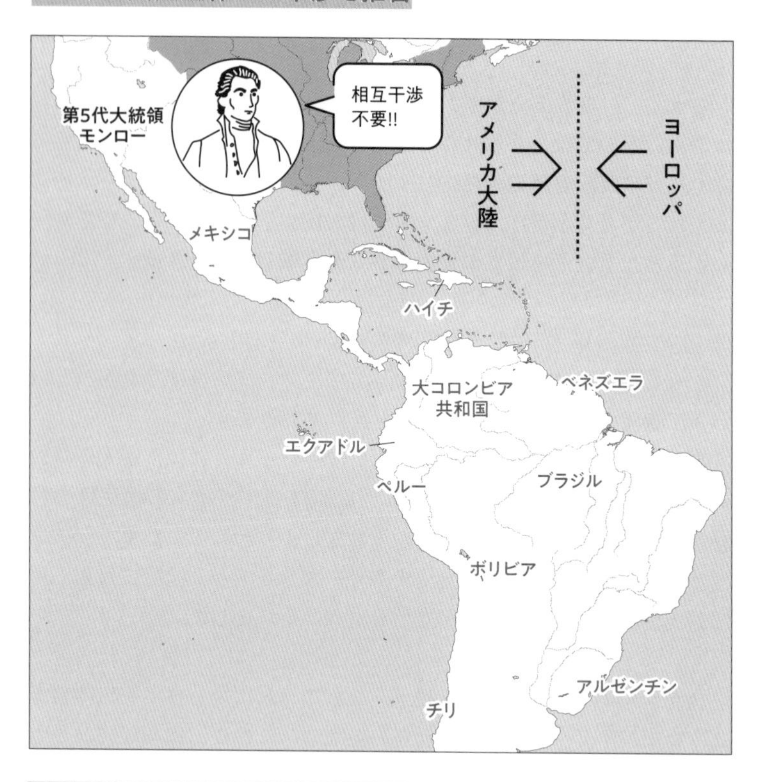

植民地に広がる独立の機運

ナポレオン戦争は、アメリカ大陸にも大きな影響を与えていました。中南米を植民地として支配していたスペインやポルトガルが混乱状態に陥ったため、**植民地生まれの白人**の間に独立を目指す機運が広がったのです。

1814年にナポレオンが失脚し、本国が再び植民地に対して強圧的に出たことが、独立運動に拍車をかけ、現在の**コロンビア**や**ボリビア**、**アルゼンチン**、**チリ**、**ペルー**などが、独立を勝ち取っていきました。

こうした動きを受けて、アメリカ合衆国の第5代大統領・モンローは、1823年に**「モンロー教書」**を発表します。合衆国がヨーロッパに干渉しない代わりに、中南米を含めたアメリカ大陸全体へのヨーロッパの干渉を拒否するというこの宣言は、その後のアメリカ外交の基本的なスタンスのひとつを示すものとなりました。

アメリカの急速な領土拡張

アメリカはこの時期、工業化を進めながら、**西に向かって領土を拡張**しています。建国直後の100年で**領土は約3倍**に、**人口は14倍**になったといわれています。

西部の開発は神から与えられた「明白な天命（マニフェスト＝ディスティニー）」であると主張する白人たちの手によって、彼らが**インディアン**と呼んだ先住民の多くが居住地を奪われ命を落とします。

19世紀半ば、ついに太平洋岸まで到達した彼らは、その後もアラスカ、そしてハワイへと領土を拡張していきます。この急速な領土拡張の中で徐々に浮き彫りになっていった、**「黒人奴隷を認める州」**と**「認めない州」**の対立は、やがて**「南北戦争」**という大きな内戦を引き起こすこととなりました。

「アメリカ③」は170ページへ

COLUMN

多民族王朝・清（17〜19世紀）

女真族による中華統一

このあと、イギリスと中華帝国・清が衝突する**「アヘン戦争」**が勃発しますので、その前に清の歴史を簡単に振り返っておきましょう。

16世紀後半、ちょうど日本で豊臣秀吉が天下統一を進めていたころ、中国東北部で勢力争いを繰り広げていた異民族・**女真族**の統一を進める人物が現れます。**ヌルハチ**です。

1616年に**金（後金）**を建国したヌルハチは、自らを**「満州人」**と呼び、モンゴル文字を改良した満州文字を作成。自民族のアイデンティティを強化しつつ支配域を拡大します。

ヌルハチの後を継いだ**ホンタイジ**は、内モンゴルと朝鮮を支配下に置いた上で国号を**「清」**に変更し、皇帝の位につきます。満州人を中心とした多民族王朝として成長した清は、急速に**明**を脅かす存在になっていきました。

モンゴル方面の反乱の鎮圧や豊臣秀吉の侵略を受けた朝鮮の支援などにより財政難に苦しむようになった明では、17世紀に入ると官僚と宦官の対立が激化。政府の統制力が緩み、各地で反乱が頻発します。

中華の論理が通用しない列強との衝突

最終的に1644年、北方で農民反乱を起こした勢力が北京に到達し、明は滅亡しました。このとき、明の将軍が清を導き入れる動きをとったことにより、清による中国本土の支配が本格化していきます。

清は、若き**康熙帝**のもとで、台湾や南部に残った反乱勢力を鎮圧し、1680年代に中国本土全域を手中に収めます。1689年には、東方へ進出してきたロシアと**ネルチンスク条約**を締結し、両国の国境を取り決めました。

清は、満州人を中心とした王朝でしたが、周辺諸国との関係という面においては歴代の中華帝国の伝統を受け継いでいました。周辺諸国に貢物を持参させる**「朝貢」**という言葉に象徴されるように、あくまで中華の**皇帝を頂点に据える上下関係**を大切にしていたわけです。

しかし、やがて清は、その論理が通用しない相手の対応を迫られることになります。いち早く産業革命を済ませ、19世紀、世界の主な海上通商路を支配するに至った**イギリスとの衝突**です。

東アジアを覆っていた清の影響力

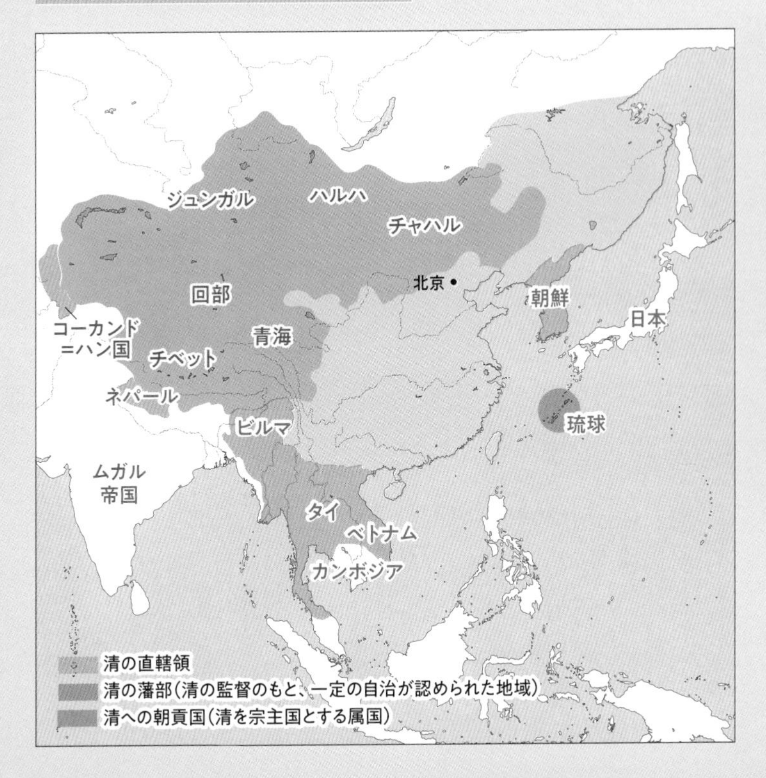

PART 7

世界を席巻する帝国主義

【19世紀～20世紀】

19世紀後半、列強が勢力圏の拡大を求めて争う
「帝国主義」の時代が訪れます。
強国同士の同盟や対立は
各地の民族間の対立とも絡んで、
初の「世界大戦」へと収束していきました。

西洋近代の論理に飲み込まれる東アジア

1840年、イギリスと清の間でアヘン戦争勃発

貿易を巡る構図の変化

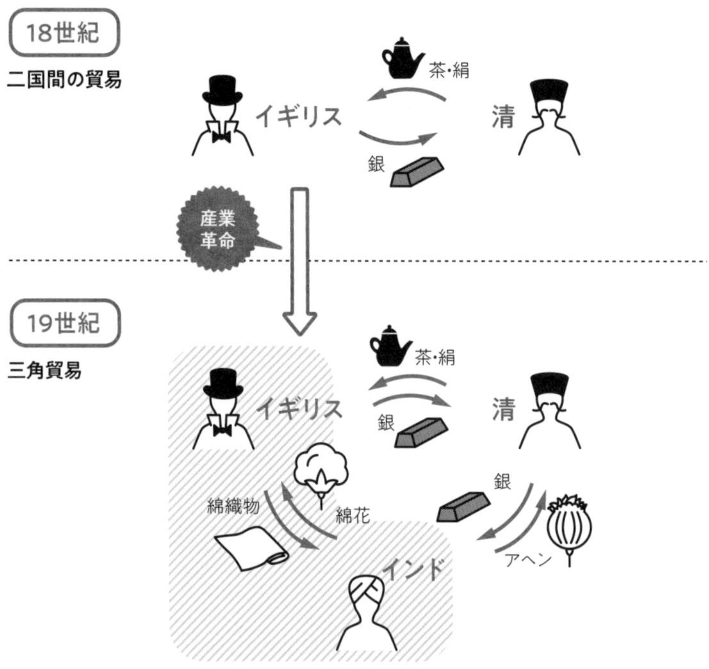

アヘン:ケシの実から作られる麻薬。依存性が高く、常用者は脱力感、倦怠感に襲われ、やがて精神錯乱を伴う衰弱状態に至る。

貿易を巡るイギリスと清の対立

18世紀後半、**貿易に消極的な清**と、**貿易を拡大したいイギリス**の対立が徐々に拡大していきます。19世紀に発生した、鎖国下の日本と、それを力で開国させたアメリカの対立に似た構図です。

産業革命の後、労働者の間に**紅茶**を飲む習慣が広まったイギリスは、清から大量の茶を輸入するようになっていました。茶の代金を銀で支払うことはイギリスからの**銀の流出**につながるため、イギリスは清に自国で生産した綿織物を輸出したいと考えます。しかし、清が綿織物の輸入を制限したため、代わって植民地である**インド産の麻薬・アヘン**を清に売りつけるようになります。

麻薬の流行は国を滅ぼすため、清はこれに反発。それに対してイギリスは派兵を決断。1840年に始まった**アヘン戦争**は、イギリスの圧勝に終わります。イギリスは、清に**上海などの開港**や**香港の割譲**、**領事裁判権**などを認めさせ、関税自主権を奪い、清において自国に有利な貿易を進めるための準備を着々と進めていきました。

主権国家体制に組みこまれる東アジア世界

1856年、数千万人の死者を出した大規模反乱・**太平天国の乱**に揺れる清に対し、イギリスは、再度、フランスと共に戦争を仕掛け、キリスト教の布教や外交官の駐在などを認めさせます（アロー戦争）。

このようにして、中華帝国を中心とする東アジア世界は近代ヨーロッパが作り上げた、主権をもつ「**対等**」な国家から成る国際秩序に飲み込まれていきました。

西洋列強によって痛めつけられた清は、1894年、**日清戦争**というさらなる衝撃に襲われます。

「東アジア⑨」は176ページへ

政体が目まぐるしく変わる19世紀フランス

1848年、二月革命で労働者たちがルイ＝フィリップを追放

フランス、進歩と反動の世紀

年	出来事	政体
1792	王政の廃止（翌年、国王処刑）	第一共和政
1804	国民投票により皇帝ナポレオン1世即位	第一帝政
1814	ナポレオン退位 ウィーン会議	ブルボン朝
1830	七月革命、ルイ＝フィリップ即位	七月王政
1848	二月革命、ルイ＝フィリップ追放	第二共和政
1852	国民投票により皇帝ナポレオン3世即位	第二帝政
1870	普仏戦争	

ナポレオン1世

ルイ＝フィリップ

ナポレオン3世

七月王政に対し民衆が蜂起

1830年、**「七月革命」**でブルボン朝の王を追放したフランスでは、ブルボン家の分家であるオルレアン家の**ルイ＝フィリップ**という人物が王位に就き、**「七月王政」**と呼ばれる立憲君主制を始めます。

このころ、フランスは本格的な産業革命・経済成長の時代を迎えますが、その中でルイ＝フィリップが、「ブルジョワジー」と呼ばれる、一定の資産をもつ人々を優遇する政治を進めたため、貧しい民衆の不満が高まっていきます。

1848年、選挙権拡大を求める運動を弾圧した政府に対してパリの民衆が蜂起し、ルイ＝フィリップを追放します。ブルジョワジーが主体だったこれまでの革命と異なり、「プロレタリアート（労働者階級）」とも呼ばれる資産をもたない市民たちの動きが目立ったのが、この**「二月革命」**の大きな特徴でした。

英雄・ナポレオンの甥が登場

ここから始まる**「第二共和政」**のもと、フランスでは**男性普通選挙（＝財産や納税額などによって選挙権が制限されない選挙）**が実現します。ただ、この選挙権の拡大は皮肉な結果をもたらします。選挙で大統領に選ばれたナポレオンの甥・**ルイ＝ナポレオン**が、国民の圧倒的な人気を背景に帝政の復活を目論むのです。

彼が実施した国民投票で、多数の有権者が帝政復活を支持。ルイ＝ナポレオンはナポレオン3世として即位し、フランスは民主的な形で**「第二帝政」**に移行します。

植民地の拡大を目指して積極的に海外に進出したナポレオン3世の政策は、やがて、当時急速に勢力を拡大していたプロイセンとの衝突、そして敗北という結果をフランスにもたらしました。

「第一次世界大戦前夜②：フランス」は180ページへ

自由主義への批判から生まれた社会主義思想

1848年、カール＝マルクスが『共産党宣言』を発表

資本は誰が所有すべきか？

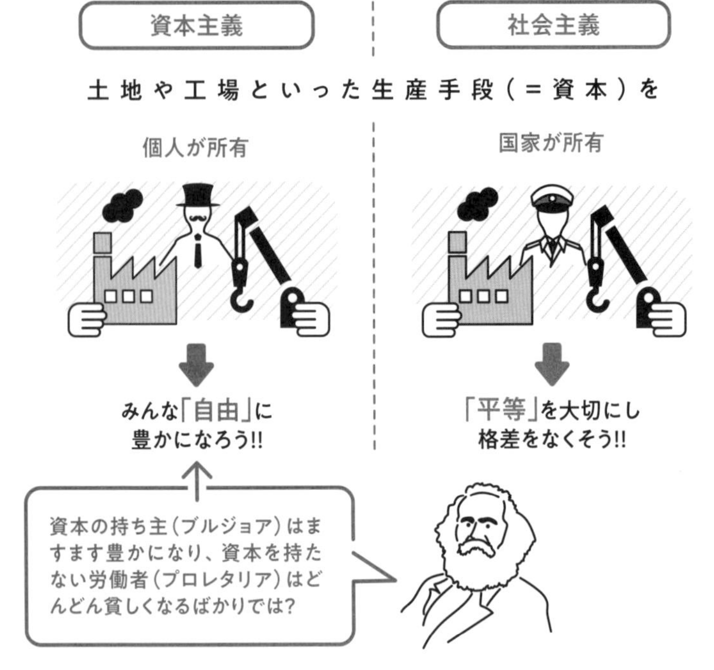

※共産主義：「共産主義」と「社会主義」は意味が少し異なるが、この時点ではほぼ同義で使われている。

資本主義へのアンチテーゼ

1848年、フランスで起きた二月革命を皮切りに、ヨーロッパ各地で「自由主義」や「ナショナリズム」に基づく革命や運動が立て続けに発生しました。ウィーン体制への挑戦ともいえるこれらの一連の動きを**「諸国民の春」**と呼んでいます。

ただ、同時にその**「自由主義」への不満**も広がっていきます。自由主義のもとに成り立つ資本主義は、そのままでは貧富の差を拡大させる傾向があるため、財産をもたない労働者と呼ばれる人々が、より良い暮らしの実現を求めて立ち上がり始めたわけです。

19世紀の初め頃から、イギリスの**オーウェン**やフランスの**サン=シモン**といった人物により、**自由主義に代わる新しい社会の在り方**を模索する**「社会主義」思想**が徐々に形を成していきます。

後世に絶大な影響を与えたマルクス

そして、そういった初期の社会主義者たちを批判しながら独自の強力な思想をまとめ上げていったのが、ドイツ生まれの思想家・**カール=マルクス**でした。彼が親友**エンゲルス**と共に、代表作『**共産党宣言**』を発表したのも1848年のことでした。

それまでの世界の歴史を**「段階的な階級闘争の歴史」**と総括し、今後、**プロレタリアート**と呼ばれる労働者階級が**ブルジョワジー**と呼ばれる資本家階級を革命によって倒すのは歴史の必然であると説いた彼の思想は、後の世界に大きな影響を及ぼします。

20世紀初頭、ロシアにおいて革命を成功させ、世界初の社会主義国家を作り上げた革命家・**レーニン**もまた、マルクスの思想に共感する人物のひとりでした。

19世紀イギリス、世界的な覇権国家に

1851年、ロンドンにおいて第1回万国博覧会が開かれる

大英帝国の栄華がここに極まる

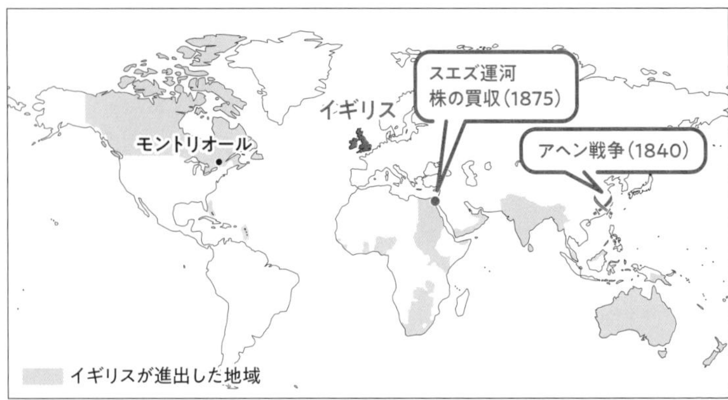

「水晶宮(クリスタル・パレス)」

クリスタル・パレスに世界が驚く

1851年、ロンドンで、**第1回万国博覧会**が実施されます。鉄とガラスで作られた「**水晶宮（クリスタル・パレス）**」に600万人を超える人々が集まったこのイベントは、世界的な覇権国家となった当時のイギリスの栄華を象徴するものでした。

19世紀後半のイギリスでは、「**君臨すれども統治せず**」を実践するヴィクトリア女王のもと、**保守党のディズレーリ**と**自由党のグラッドストン**という2人の政治家が交互に首相を務め、様々な政策を進めてきました。

国内では、選挙法改正や、「公衆衛生法」「労働組合法」の制定などが進められ、**労働者の権利**が段階的に認められていきます。

国外では、圧倒的な工業力を背景にヨーロッパの外に勢力を拡大していきます。1840年には**アヘン戦争**で当時の中国・清を軍事力で圧倒しました。

世界中を近代化させ利益を貪る

1870年代に入るとヨーロッパ各地で工業化が進み、工業力自体が覇権を保証する時代は終わりますが、イギリスは**金融業を強化**しながら、その後も積極的に海外進出を進めていきます。

1875年にはエジプトの財政難をきっかけに**スエズ運河株を買収**し、1877年にはムガル帝国滅亡後のインド皇帝をヴィクトリア女王が兼任するという形式で、**インド帝国**を成立させます。

ヨーロッパ以外の地域を強引に「近代」に引きずり込んでいったイギリスは、第一次世界大戦を経て第二次世界大戦が終わるまで、「**大英帝国**」と呼ばれる強大な存在であり続けました。

「第一次世界大戦前夜③：イギリス」は182ページへ

ロシアの南下政策を英独仏が阻止

1853年、ロシアがオスマン帝国にクリミア戦争を仕掛ける

限界を見せ始めたロシアの拡大主義

1878年(露土戦争の翌年)に結ばれたベルリン条約

ベルリン会議を仕切ったドイツ帝国のビスマルクは、ロシアの影響力が及ぼうとしていたルーマニアを独立させ、ボスニア・ヘルツェゴビナをオーストリアに支配させるなどして、結果的にロシアの南下を阻止することとなった。

「不凍港」を求め続けるロシア

ナポレオン率いるフランス軍の侵入を阻止したロシアは、ウィーン体制において各地の自由主義運動を弾圧する側に回り、**「ヨーロッパの憲兵」**と呼ばれるようになっていきます。

冬になっても凍ることのない**「不凍港」**を求めて、南方に領土を拡大していこうとする**「南下政策」**を進めるロシアは、1821年、オスマン帝国の支配から独立しようとしたギリシアを支援しながら、オスマン帝国から黒海東岸を奪うことに成功します。

さらにロシアは、1853年と1877年にオスマン帝国に戦争を仕掛けますが、ロシアの南下を警戒する**イギリス**や**フランス**、そして**ドイツ**の手によって南下を阻止されてしまいます。

イギリスやドイツとの競争に遅れをとっていることが実感されたロシアでは「上からの改革」が進みますが、同時に**反政府運動**も激しさを増していきました。

東アジアからバルカン半島へ目を向ける

ロシアと日本が満州や朝鮮半島の権益を巡って**日露戦争**を始めた翌年、ロシアの首都ペテルブルクで労働者を中心としたデモ隊が警備隊に殺害される事件が起きたのを皮切りに、反政府運動がロシア全土に拡大します。**「ソヴィエト（評議会）」**と呼ばれる労働者の自治組織が初めて作られたのもこのときのことです。

これによって日露戦争の継続、すなわち**東アジア方面での南下が困難になった**ロシアは、再度**バルカン半島**に目を向けます。自らと同じ**スラブ系民族**の独立を支援し始めたロシアは、同じく半島内で影響力を拡大しようとしていた**ゲルマン系のドイツ・オーストリアと、激しく対立**するようになっていきます。

「近代ヨーロッパ⑪」は 172 ページへ

19世紀のアメリカが直面した分裂の危機

1861年、南北戦争で南部と北部が激突、北軍が勝利する

北部と南部の対立要因

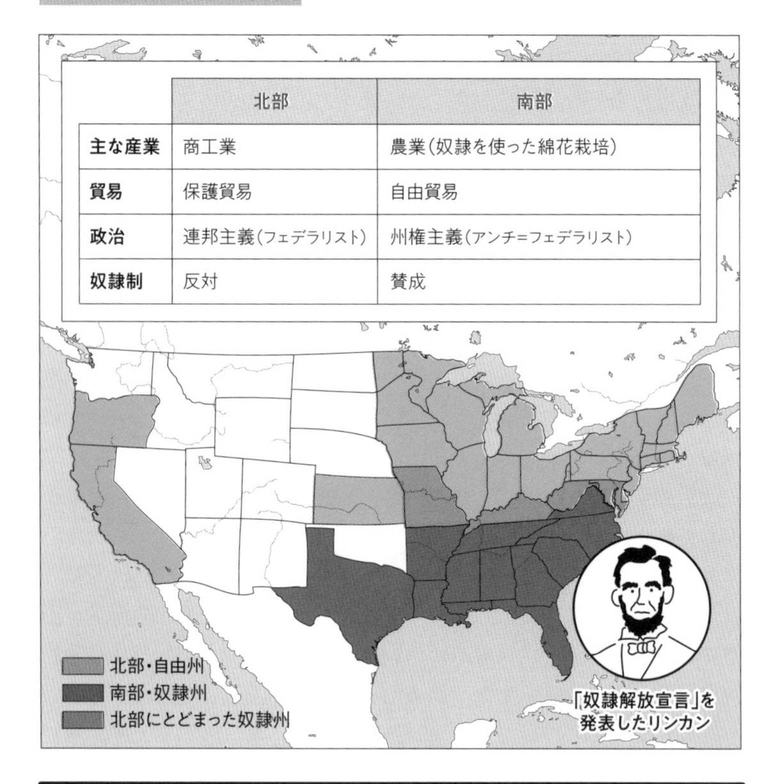

	北部	南部
主な産業	商工業	農業（奴隷を使った綿花栽培）
貿易	保護貿易	自由貿易
政治	連邦主義（フェデラリスト）	州権主義（アンチ＝フェデラリスト）
奴隷制	反対	賛成

産業構造の違いから対立

アメリカ合衆国では、州の数が増えるにつれて、**奴隷制度を認める州**と**認めない州**の対立が激しくなっていきました。

黒人奴隷を使用して綿花を栽培する農場主が発言力をもっていた南部の州は、奴隷の扱いを州ごとに自由にさせてほしいということで、**州の権限の強化**を求めます。また、綿花の輸出に有利な、関税を設定しない**自由貿易を希望**します。

一方、もはや奴隷制度を必要としないほど商工業が発展していた北部の州は、合衆国全体から奴隷制度を撤廃するために、**連邦政府の権限の強化**を求めます。また、イギリス産の安い工業製品から自国の産業を保護するために、輸入品に関税をかける**保護貿易を希望**します。

この対立は1861年に国を二分する内戦「**南北戦争**」に発展します。

リンカンの「奴隷解放宣言」

戦いが長期化する中、南部から綿花を輸入しているイギリスが南部の保護に回ることを恐れた北部の代表・リンカンは、1863年に「**奴隷解放宣言**」を発表し、1833年に植民地において奴隷制を廃止していたイギリスを牽制します。

60万人を超える死者を出したこの内戦は、1865年に**北部の勝利**で終わりました。ただ、合衆国においては、この後も選挙権のはく奪などを含めた**黒人に対する差別**は続いていきます。

19世紀後半、圧倒的な工業力・経済力を手に入れたアメリカは、1890年に「**フロンティアラインの消滅**」を宣言。海外への進出を志向するようになっていきます。

分裂状態が続く イタリアの統一

1861年、サルディーニャ王国が国名をイタリア王国に改称

3勢力の分裂状態から統一に向かう

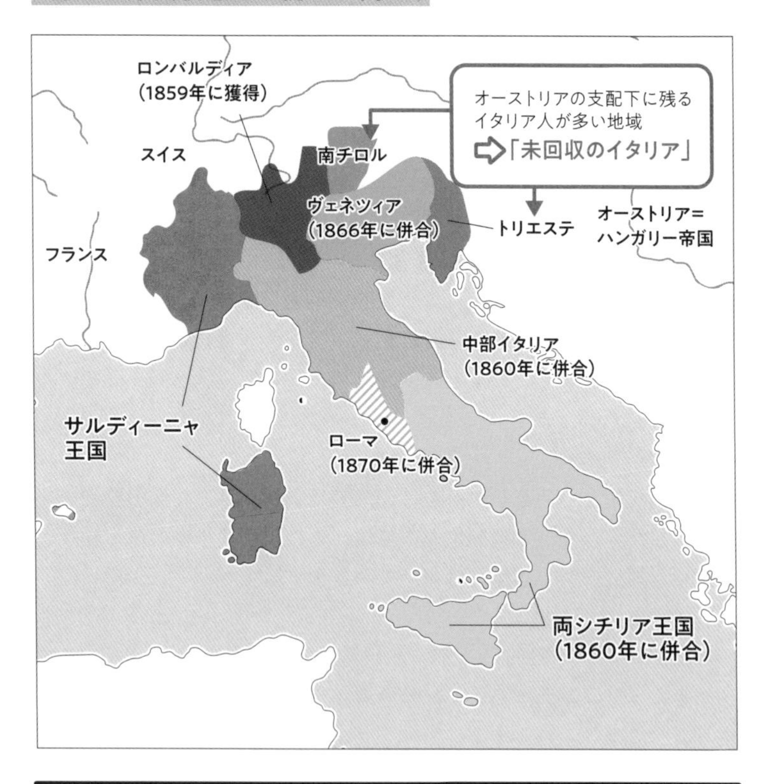

サルディーニャ王国によるイタリア統一

1848年をピークにヨーロッパ各地を席巻した「自由主義」や「ナショナリズム」を求める動きを受けて、分裂した状態が続くイタリアやドイツでは、**統一を求める運動**が盛り上がりを見せます。

ナポレオンによる侵攻・支配を受けたイタリアでは、ウィーン会議以降、ヴェネツィアやミラノを含む**北イタリア**がオーストリアの支配下に置かれました。半島の南側はナポリを中心とする**両シチリア王国**が、西側はトリノを中心とする**サルディーニャ王国**がそれぞれ支配し、中央部にはローマを中心とした**教皇領**が広がるという分裂した状態が続きます。

イタリア各地で起きた数々の自由主義的な運動がオーストリアやフランスによって制圧される中、憲法と議会を維持し続けたサルディーニャ王国が、統一に向けて動き出します。

中部イタリアと両シチリア王国の併合に成功したサルディーニャ王国は、1861年に国名を**「イタリア王国」**に改称し、統一は大きく前進します。

世界大戦の火種となった「未回収のイタリア」

その後、1866年に**プロイセンとの戦争**に敗れたオーストリアからヴェネツィアを奪い、さらに1870年の普仏戦争をきっかけに半島中央部の教皇領も手に入れ、**「リソルジメント」**とも呼ばれるイタリア統一運動はいったんの完成を見ます。

ただ、イタリア人が多く住んでいたトリエステと南チロルという地域は引き続きオーストリアの支配下に置かれてしまいます。**「未回収のイタリア」**と呼ばれるこれらの地域の存在は、この後発生する「第一次世界大戦」の火種のひとつとなりました。

鉄血宰相ビスマルクがドイツを統一する

1871 年、ヴェルサイユ宮殿でドイツ帝国の成立が宣言される

ウィーン体制の崩壊とビスマルクの台頭

止まらないドイツのナショナリズム

イタリアの統一がサルディーニャ王国主導で進んだのと同じように、ドイツの統一は**プロイセン王国主導**で進みます。

可能な限りヨーロッパをナポレオン戦争前の状態に戻そうとしたウィーン会議は、ドイツを分断された領邦国家の緩いまとまりのまま維持しようとします。

ただ、**ブルシェンシャフト**と呼ばれる学生組合の蜂起や、**哲学者フィヒテ**の「ドイツ国民に告ぐ」と題した連続講演、さらには安価なイギリス製品の流入を抑えるための**「ドイツ関税同盟」**の結成など、統一に向けた動きは着実に進んでいきました。

1848年、フランスの「二月革命」に続いて、ベルリンとウィーンでも**「三月革命」**が発生。プロイセンでは国王が憲法制定を約束し、オーストリアではウィーン会議を主導した外相メッテルニヒが亡命、オーストリアの支配下にあったマジャール人やチェック人も独立を目指して立ち上がり、**ウィーン体制は崩壊**していきます。

ビスマルクのもと普墺戦争に勝利

そんな中、1862年、国王**ヴィルヘルム1世**のもとで首相に登用された**鉄血宰相・ビスマルク**は、ドイツ統一に反対するオーストリアに普墺戦争を仕掛けて勝利し、プロイセンはオーストリアを排除した形でドイツ統一を進めていくこととなります。

1870年にはナポレオン3世が治めるフランスと**普仏戦争**を戦い圧勝。翌年、占領したパリのヴェルサイユ宮殿で、ヴィルヘルム1世は**「ドイツ帝国」**の成立を宣言します。ただ、このとき、ドイツがフランスから**アルザス・ロレーヌ地方を奪った**ことは、このあと起きる第一次世界大戦における火種のひとつとなりました。

「第一次世界大戦前夜①：ドイツ」は 178 ページへ

中国最後の王朝・清、約3世紀の歴史に幕

1912年、孫文による辛亥革命により中華民国が建国される

切り分けられる中国

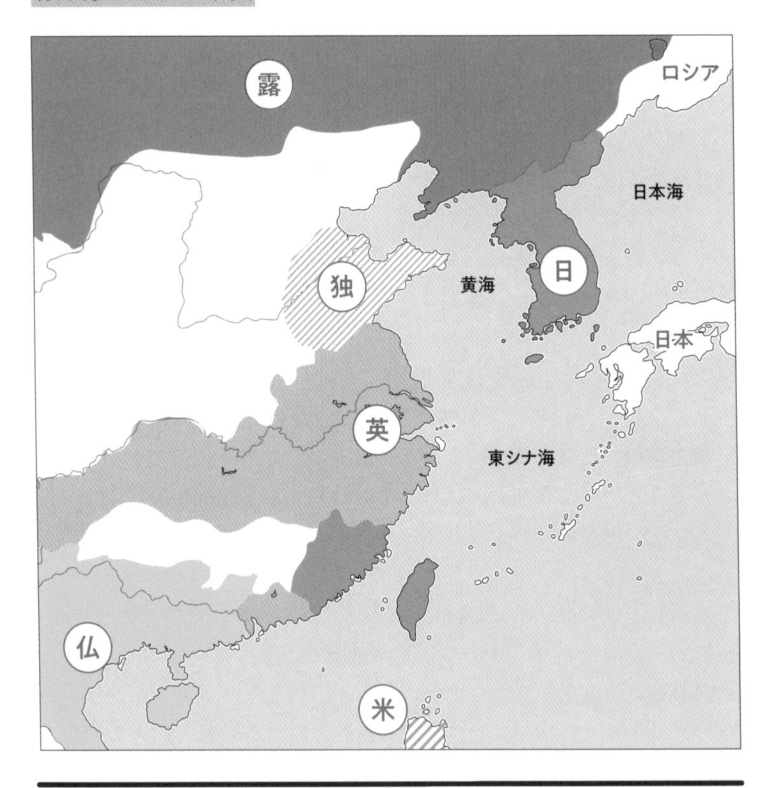

近代化を図るも日清戦争に敗北

西洋列強との戦争に敗れた清では、儒教的な価値観に基づく体制を維持した上で、西洋から技術だけを導入して工業力や軍事力を強化していこうという**「洋務運動」**が盛んになります。

この運動は、その後の中国の工業化の基盤を築くものとなりますが、同時に**「軍閥」**と呼ばれる各地の軍事勢力が伸長していくきっかけともなったようです。

1894年、清を宗主国としていた当時の朝鮮で大規模な農民反乱が起きます。この反乱を独力で鎮圧できなかった朝鮮政府が清に出兵を要請したのに伴い、日本も派兵を決断。**日清戦争**が始まります。

この戦争に勝利した日本は、清に**朝鮮の独立**を認めさせ、**賠償金**、そして**台湾**や**遼東半島**などの割譲を要求します。

列強の介入と14省の独立

日清戦争の敗北で「洋務運動」の限界を露呈してしまった清では、1300年続いた科挙の廃止などを盛り込んだ**「戊戌の変法」**と呼ばれる改革が始まりますが、この改革も権力闘争の中ですぐに頓挫します。

1900年には、結社・**義和団**が起こした乱の鎮圧において、日本やロシアなどの**諸外国の介入**を招き、その後も各地で革命・独立を求める武装蜂起が繰り返され、清はいよいよ滅びへの道を突き進みます。

1911年、清を構成する18の省のうち、14省が独立を宣言。各省の代表は翌1912年、**孫文**を臨時の大総統に選出し、新たに**中華民国**の建国を宣言しました。この**「辛亥革命」**をもって清は滅亡します。それは、2000年以上続いた「皇帝」の終焉を意味するものでもありました。

「第一次世界大戦後の世界④」は202ページへ

対外進出と引き換えに孤立を深めるドイツ

1890年、ドイツ帝国首相、ビスマルク失脚

ビスマルク外交

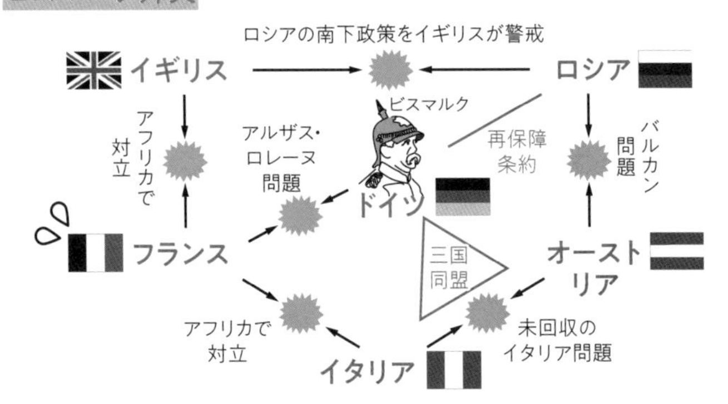

ビスマルク失脚後

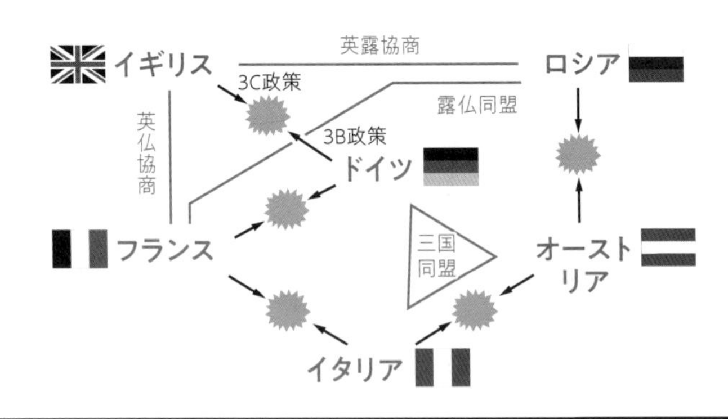

フランスを孤立させたビスマルク外交

1871年、フランスとの戦争（普仏戦争）に勝利し、ドイツ帝国の**初代首相**となったビスマルクは、秘密条約と軍事力を駆使してフランスを孤立させるための国際関係を作り出していきます。

まずは73年、**ロシア**と**オーストリア**と共に**「三帝同盟」**を結びます。この同盟は、78年に開かれたベルリン会議において、ビスマルクが議長としてロシアの南下を阻止する側に回ったため、すぐに崩壊しますが、79年にはあらためてオーストリアとの間に**独墺同盟**を締結。82年、そこにイタリアを加えて、いわゆる**「三国同盟」**を成立させました。

87年には、イギリスに対抗するために再度ドイツに接近してきたロシアと再保障条約を結び、徹底してフランスの孤立化を図ります。

若い皇帝の野心がドイツを孤立させる

しかし、このビスマルク外交も長くは続きません。ビスマルクを重用していた皇帝が亡くなると、後を継いだ若い皇帝ヴィルヘルム2世は**積極的な海外進出政策**を進め、これが関係諸国の警戒を呼びます。

ベルリンとバグダードを鉄道で結び、中東への影響力を強めようとした**3B政策**はイギリスを警戒させ、**中国への進出**は日本を警戒させました。

もともと仲の悪いロシアとの同盟に頼ることをよしとしない皇帝が期限が切れた再保障条約の更新を拒否すると、ロシアはフランスに接近し**「露仏同盟」**を結びます。イギリスもドイツに対抗するため、「日英同盟」と「英仏協商」を立て続けに成立させました。

死守したかった**フランスの孤立**が崩れ、反対に自国が孤立していくのを見ながら、ビスマルクは失意のうちに引退していきました。

ドイツの脅威を利用し返り咲くフランス

1894年、露仏同盟により、フランスの孤立が解消される

普仏戦争の敗北を乗り越えるフランス

1848	二月革命、ルイ=フィリップ追放	第二共和政
1852	国民投票により皇帝ナポレオン3世即位	
1870	普仏戦争 ナポレオン3世捕虜となる 臨時政府成立	第二帝政
1871	パリ=コミューン（3月～5月） 普仏戦争終結 （アルザス・ロレーヌ地方を失う）	第三共和政
1894	露仏同盟	1890 ビスマルク辞職
1904	英仏協商	

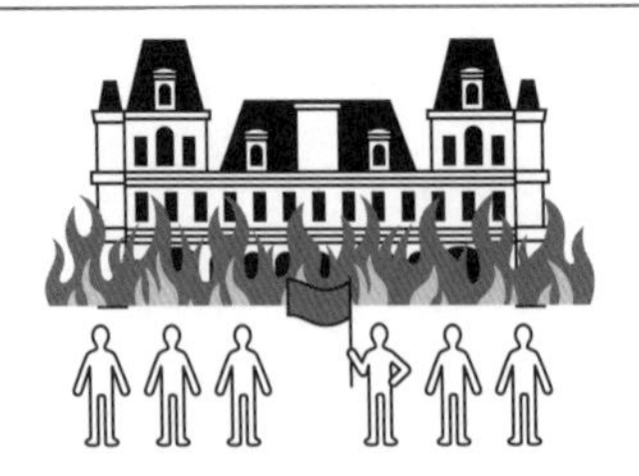

パリ=コミューンによる市庁舎の焼き討ち

変転する政治体制

1789年に始まった革命ののち、フランスの政治形態は目まぐるしく変化していきます。簡単にまとめると、「**総裁政府**」→「**統領政府**」→「**第一帝政（ナポレオン1世）**」→「**ブルボン朝**」→「**七月王政（ルイ＝フィリップ）**」→「**第二共和政**」→「**第二帝政（ナポレオン3世）**」といった具合です。

そして、1870年に始まったプロイセンとの戦争（普仏戦争）中に皇帝ナポレオン3世が捕虜となったのを受けて、その第二帝政も終わりを告げ、**臨時政府**が発足します。

翌年、臨時政府は、17世紀の三十年戦争の際にドイツから奪ったアルザス・ロレーヌ地方などと引き換えにプロイセンと講和しますが、この講和を不満に思ったパリ市民が蜂起し、「**パリ＝コミューン**」と呼ばれる**社会主義政権**が誕生します。

しかし、その約3か月後、臨時政府軍の反撃によりパリ＝コミューンは瓦解、「**第三共和政**」と呼ばれる時代に突入していきます。

世界大戦への態勢が整う

国際社会では、数多くの密約によってフランスを孤立させようとするドイツの**ビスマルク外交**の前に孤立を余儀なくされます。

ただ、それと並行して、北アフリカのチュニジアや現在のベトナム周辺に植民地を広げつつ、着実に国力の増強を進めているのがフランスのしたたかなところです。

1890年に**ビスマルクが失脚**すると、ドイツを脅威とみなすロシア・イギリスと共に、それぞれ「**露仏同盟**」「**英仏協商**」を締結。工業化を進めたフランスは、強国としての地位を取り戻した上で、第一次世界大戦に臨むことになります。

独との対立を受け、露仏と組むイギリス

1902年～1907年、イギリスが立て続けに3つの同盟を結ぶ

イギリスの3C政策とドイツの3B政策

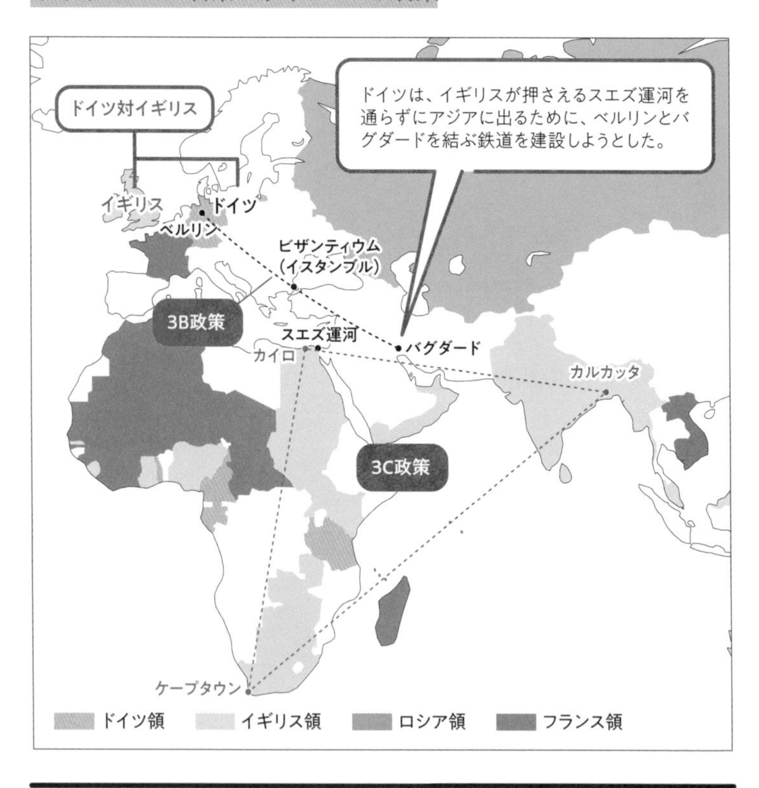

ドイツの進出に国際協調で対抗

19世紀末、イギリスは工業生産世界1位の座をアメリカに奪われますが、世界経済においては依然として大きな存在感を示しながら、植民地の拡大・維持政策を継続していきます。

ベルリンとバグダードを鉄道で結ぶ**3B政策**を掲げて新たに植民地獲得競争に乗り出してきた新興国ドイツに対し、イギリスは**カイロ・ケープタウン・カルカッタ**を結ぶ**3C政策**を推進します。

19世紀後半のイギリスは、どの国とも同盟を結ばない**「光栄ある孤立」**を追求していましたが、1902年にロシアのアジアにおける南下政策を牽制するために**「日英同盟」**を結ぶと、1904年にはフランスと**「英仏協商」**、1907年にはロシアと**「英露協商」**をそれぞれ締結し、いわゆる英仏露の**「三国協商」**を成立させます。

大陸の争いとはできるだけ距離を置いておきたいイギリスでしたがドイツとの対立の激化に伴い、このあと発生する第一次世界大戦に三国協商の一員として参戦し、大きな犠牲を払うこととなりました。

社会主義は定着せず

国内では**社会主義運動**が盛り上がりを見せますが、早いうちに多くの都市労働者が選挙権を手にしたこともあって、マルクス主義的な革命ではなく、**議会制民主主義を前提**とした穏やかな社会変革を目指すものが主流となります。

クロムウェルによる侵略以降、植民地となっていたアイルランドにおいては、1914年に**「アイルランド自治法」**が成立しますが、第一次世界大戦の勃発によって施行は延期され、アイルランドの独立は大戦後に持ち越されることとなりました。

バルカン半島に進出するオーストリア

1902年、オーストリア、ボスニア・ヘルツェゴビナを併合

バルカン半島を巡る対立

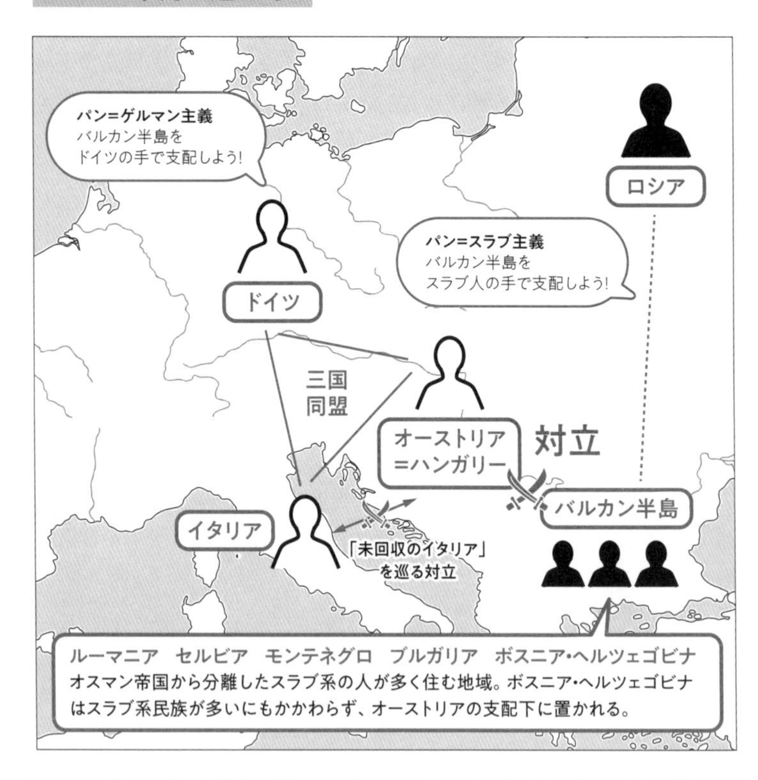

多民族国家ならではの悩み

ハプスブルク家の皇帝が支配するオーストリア帝国は、ドイツ人だけでなく、**マジャール人**や**チェック人**、**クロアティア人**など、様々な民族を内包する**多民族国家**でした。

1866年、オーストリアは、特定の地域の領有を巡ってプロイセンと衝突します。この戦争に勝利したプロイセンは、その後、オーストリアを排除した状態でドイツの統一を進めていきます。

一方、敗れたオーストリアは、国内のマジャール人の独立要求に応えざるを得なくなり、マジャール人の国・ハンガリーの独立を形式的に認めます。ここに、同一の皇帝を戴く**オーストリア＝ハンガリー二重帝国**が誕生します。

1878年になると、**ベルリン会議**において、**バルカン半島**の中でも特にスラブ系の住民が多い**ボスニアとヘルツェゴビナ**の統治権がオーストリアに認められます。1902年にオーストリアは両地域を併合。これに、バルカン半島においてスラブ系民族の影響力を増そうとしていたロシアが反発します。

イタリアとの同床異夢

ロシアに対抗するため、オーストリアはドイツ、そしてイタリアと同盟を結び、ここに**「三国同盟」**が成立します。

ただ、オーストリアは、イタリア人が多く住む**「未回収のイタリア」**と呼ばれる地域を支配下に置いていたため、イタリアとの間に根深い対立を抱えていました。

そのためイタリアは、いざとなったら三国同盟から離脱する約束をフランスとの間で交わします。これが第一次世界大戦開戦後、イタリアが**同盟国側から連合国側に寝返る**伏線となります。

PART 8 初の世界大戦が残したもの

【20世紀】

バルカン半島を巡る民族間の対立は、
やがて世界を巻き込む戦争に発展します。
第一次世界大戦。
人類がかつて経験したことのない「総力戦」の傷跡は、
さらなる戦いの火種となっていきました。

サライェヴォ事件発生、第一次世界大戦始まる

1914年、オーストリアの皇位継承者がセルビアの青年に暗殺される

大戦初期の対立の構図

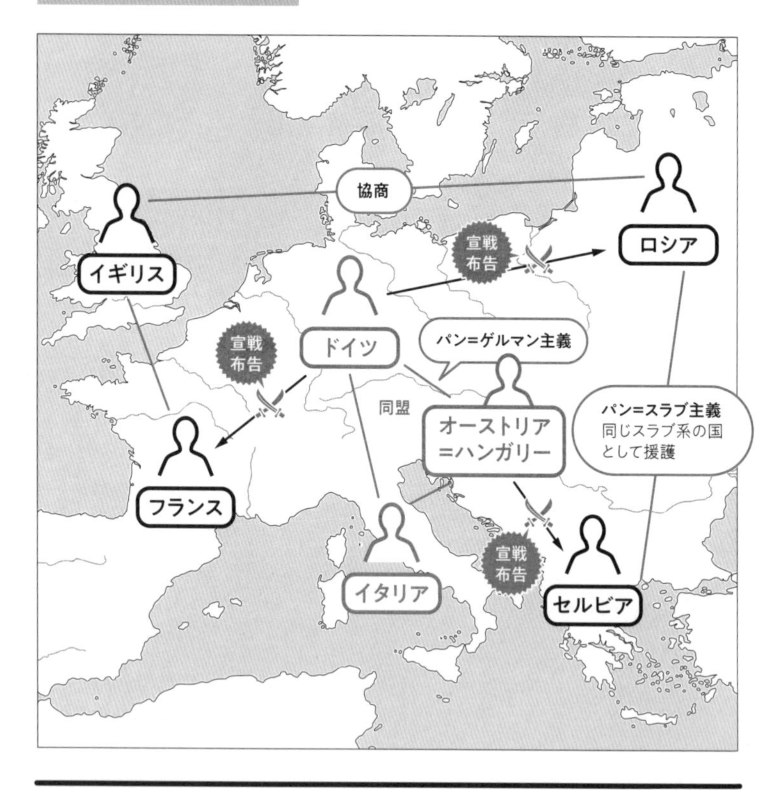

オスマン帝国の衰退

オスマン帝国の弱体化に伴い、ヨーロッパの強国、そして現地の民族同士の対立が過熱していったバルカン半島は、いつしか**「ヨーロッパの火薬庫」**と呼ばれるようになっていました。

1908年、オスマン帝国の青年将校たちが、30年ほど前に廃止された憲法の復活などを求める革命を起こします。

この混乱に乗じ、オーストリアは、統治下に置いていたスラブ系住人の多い**ボスニア・ヘルツェゴビナ**を正式に併合します。また、スラブ系の**ブルガリア**がオスマン帝国からの独立を果たします。

スラブ系民族と**ゲルマン系民族**の対立や、新たにオスマン帝国から独立した国々の領土拡大欲求もあって、1912年から13年にかけて半島内では立て続けに紛争が起きます。これによりオスマン帝国は**半島内の領土のほとんどを失います。**

オーストリアがセルビアに宣戦布告

そして、ついに1914年が訪れます。同年6月、オーストリアに併合されて間もないボスニアの州都・サライェヴォで、**オーストリアの帝位継承者がセルビア人に暗殺された**のです。この**「サライェヴォ事件」**が、列強を巻き込む形で「ヨーロッパの火薬庫」を爆発させるトリガーとなりました。

怒ったオーストリアは、1914年7月28日、セルビアに対して**宣戦を布告**します。**スラブ系のロシア**がセルビアの援護を決定したのに対し、**ゲルマン系のドイツ**はオーストリアを擁護してロシアに宣戦布告。後に**第一次世界大戦**と呼ばれることになる戦争が幕を開けます。

ロシアとフランスに挟撃されるドイツ

1915年、多くの国が2つの陣営に分かれて参戦

総力戦によって戦線は膠着状態に

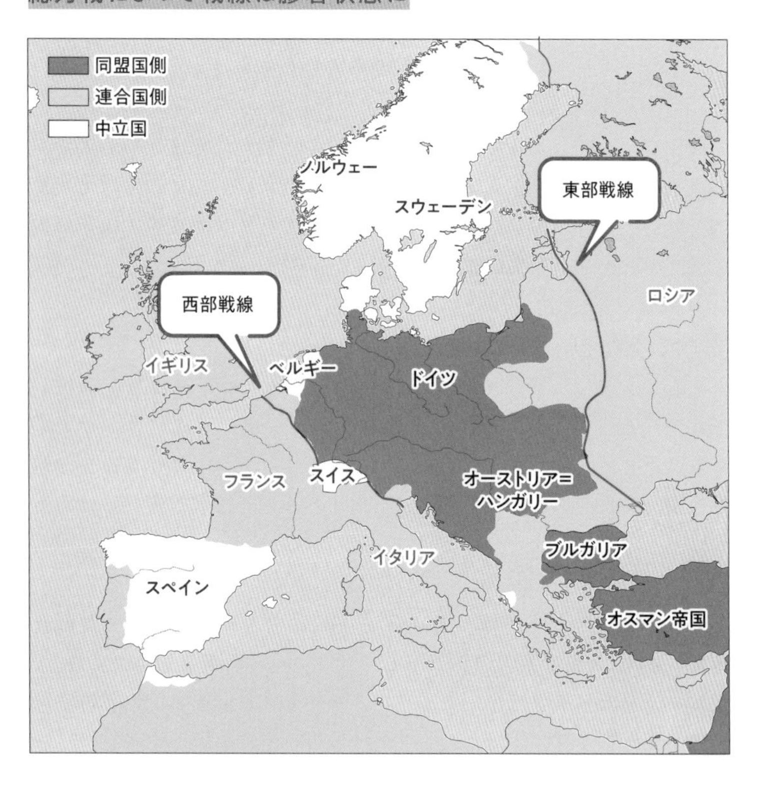

世界を二分する戦いが始まる

フランスとロシアに挟まれるのを避けたかったドイツは、まずは最速でフランスの首都・**パリを攻略**しようとします。ただ、ドイツ軍がスピードを重視するあまり、中立を宣言していたベルギーに侵入したことが、ドイツと対立する**イギリス参戦の口実**となってしまいます。

イギリスが参戦すると、今度は**イギリスと同盟関係にあった日本**が、中国大陸での勢力拡大を狙って、中華民国内にいたドイツ軍を攻撃します。こうして戦火はヨーロッパの外にも広がっていきました。

スウェーデンやノルウェー、デンマーク、スペイン、オランダ、スイスといったいくつかの中立国を除き、1915年中には多くの国が、**イギリス・フランス・ロシアの連合国側**か、**ドイツ・オーストリアの同盟国側**に加わって参戦します。

イタリアが領土問題で寝返る

オスマン帝国やブルガリアは同盟国側について参戦。同盟国側につくはずだったイタリアは、イギリスなどが、オーストリアからの**「未回収のイタリア」の割譲**を約束したのを受けて、同盟国側を裏切って連合国側について参戦することとなりました。

機関銃の導入により**塹壕**にこもってにらみ合う戦いが増えたことや、戦闘の規模が拡大し、各国の生産力が戦局を左右する**「総力戦」**となってきたこともあって、戦争は長期化していきます。

ロシアと戦う**東部戦線**とフランスと戦う**西部戦線**。二正面作戦の長期化によりドイツが疲弊していく中、1917年、戦局に大きな影響を与える事件が起きます。**ロシア革命**です。

ロシアで革命が発生し社会主義政権が誕生

1917年、レーニン、ソヴィエト政権を樹立（十月革命）

年表（20世紀初頭・ロシア）

1904	日露戦争勃発
1905	ペテルブルクで血の日曜日事件発生（第一次ロシア革命） 皇帝・ニコライ2世が国会の開設を認めるなど、 自由主義的な動きが活発になる
1906	ニコライ2世が反動的になり、反政府運動の弾圧が続く
1907	英露協商（三国協商成立）
1914	第一次世界大戦参戦
1917	ニコライ2世退位、臨時政府成立（二月革命） ボリシェビキが臨時政府を打倒（十月革命） 「平和に関する布告」「土地に関する布告」発表
1918	同盟国と単独講和（ブレスト=リトフスク条約） ボリシェビキ、ロシア共産党と改称し、独裁体制を強化
1922	ソヴィエト社会主義共和国連邦成立
1924	レーニン死去 やがて権力はスターリンに移行していく

レーニンの銅像

レーニン演説

レーニン

2つの革命で新政権が樹立

セルビアを擁護して大戦に参戦したロシアでしたが、**戦争の長期化**に伴い経済状態が悪化。皇帝・**ニコライ2世**の専制に対する国民の不満は募り、1917年、ついに国内で2つの革命が起きます。

ひとつ目は「**二月革命**」です。首都に集結した人々を前に、ニコライ2世は退位を決断。約300年続いたロマノフ朝は終わりを告げ、臨時政府が誕生します。同時に**ソヴィエト（評議会）**と呼ばれる社会主義者たちの集団が各地に組織されていきました。

臨時政府が戦闘の継続を決断したのを受けて、戦争を早く終わらせたい国民の支持は、急進派の**レーニン**を指導者とする政党・**ボリシェビキ**に集まります。
「すべての権力をソヴィエトへ」と叫ぶレーニンは、やがて臨時政府を打倒し、ソヴィエト政権の樹立に成功します。これが1917年の2度目の革命、「**十月革命**」です。

ソヴィエト政権のもと大戦から離脱

レーニン率いる新政権は、無併合・無賠償・民族自決に基づく即時講和を交戦国に提案する「**平和に関する布告**」や、土地の私有を否定する「**土地に関する布告**」を発表します。

これらの提案が国際社会に受け入れられなかったこともあり、翌1918年3月、ソヴィエト政権は大幅な領土の割譲と引き換えに**同盟国と単独で講和する**ことを決め、大戦から一足早く離脱します。

社会主義勢力の拡大を恐れるイギリスやフランス、アメリカ、そして日本による攻撃に耐えながら、**ロシア共産党**と名を変えたボリシェビキは、国内で一党独裁体制を確立していきます。

アメリカ参戦で大戦は連合国側の勝利に

1918年、ドイツ臨時政府、連合国と休戦協定を締結

第一次世界大戦の特徴

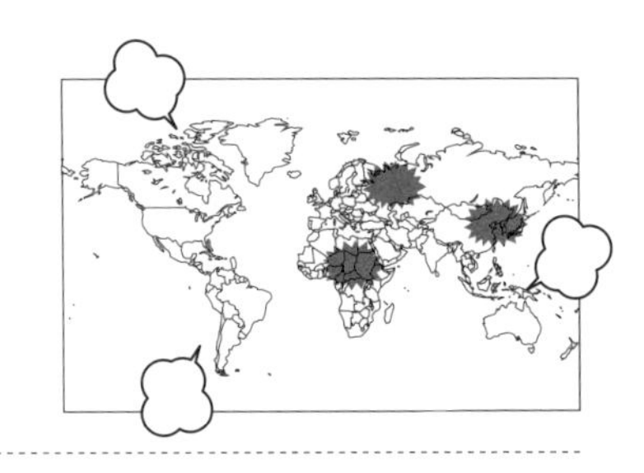

「世界」大戦

「ヨーロッパ大戦」として始まった戦争に、東アジアや中東、南北アメリカの国々が加わり、戦線は世界中に拡大していった。兵員や資源の多くは植民地からも補充された。

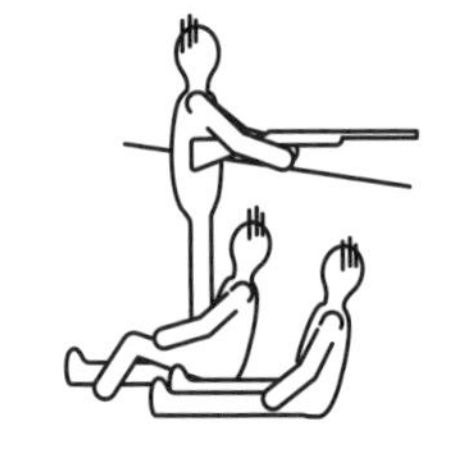

長期戦

1914年7月の開戦時には、多くの兵士がクリスマスまでには帰れるだろうと考えていたが、塹壕戦による戦線の膠着などに伴い、戦争は長期化していった。

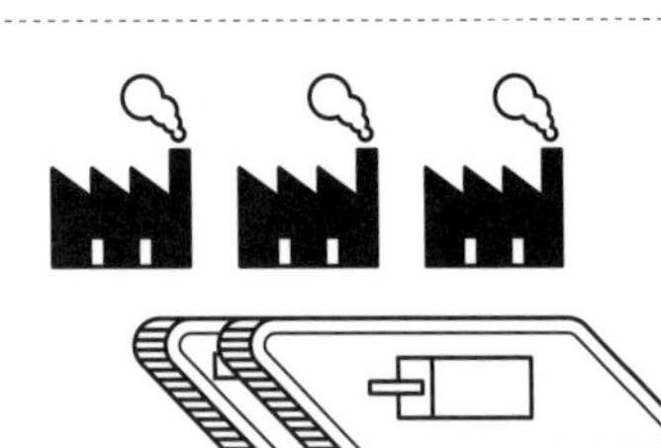

総力戦

国家の全産業を軍需に振り向ける必要が出てきたため、戦争が軍人だけのものではなくなった。国家による経済や社会への干渉が増え、女性の社会進出が進んだ。

対独感情の悪化からアメリカ参戦

イギリス海軍による海上封鎖に対抗するため、ドイツは1915年2月、敵国や中立国の船を、軍艦ではない船まで含めて予告なしで攻撃する**無制限潜水艦作戦**を開始します。

同年5月、**アメリカ人を乗せたイギリスの豪華客船**をドイツの潜水艦が撃沈したのに伴い、それまで中立を表明していたアメリカにおいてドイツへの敵対感情が広まっていきます。これをひとつのきっかけとして、17年4月、アメリカが第一次世界大戦への参戦を決めます。

同年11月にロシアのレーニンが「平和に関する布告」によって帝国主義に苦しむ人々に希望を与えようとしたのを意識してか、翌18年1月、アメリカ大統領**ウィルソン**は、秘密外交の廃止や植民地問題の公正な調整、国際組織の設立などを謳う**「十四カ条の平和原則」**を発表します。

同盟国側が次々に降伏

アメリカの参戦によって膠着は崩れ、18年3月にはソヴィエト政権が戦線を離脱、9月には同盟国側についた**ブルガリアが降伏**、10月には、同じく同盟国側の**オスマン帝国が降伏**します。

オーストリアにおいては、チェコスロバキア、ハンガリー、(後の)ユーゴスラビアが相次いで独立を宣言し、帝国が崩壊。13世紀から続く**ハプスブルク家による支配**が終わりを告げます。

ドイツでは、無謀な出撃命令を拒否した海軍兵士の反乱がきっかけとなって革命が勃発します。亡命した皇帝に代わって、臨時政府の代表が11月11日に連合国と**休戦協定を締結**。**死者だけで1000万人**を超えた世界大戦が、ここに終結します。

敗戦国ドイツに科された重すぎる制裁

1919年、パリ講和会議が開かれヴェルサイユ条約が締結される

ヴェルサイユ条約によって再編されるヨーロッパ

すべての海外権益を失う

1919年1月、第一次世界大戦の講和会議がパリで開かれます。会議を主導したのは**アメリカ、イギリス、フランス**。**日本**や**イタリア**も戦勝国として会議に臨みます。

オーストリアや**オスマン帝国**などの敗戦国に対してそれぞれ5つの条約が準備されますが、その中でもメインとなったのはドイツとの間に締結された**ヴェルサイユ条約**です。

ドイツはすべての海外の権益を失います。日本は、ドイツの植民地であったパラオなどの**南洋諸島**の統治を委任されます。ちなみに、日本には中国・シャントン半島の権益も認められたため、中国はヴェルサイユ条約の**調印を拒否**し、反日感情を高めていきます。

領土も解体される

ドイツの領土にも手が付けられます。普仏戦争にてフランスから奪った**アルザス・ロレーヌ地方**はフランスに戻され、さらにドイツ国内のポーランド人が多く住む地域が、独立を回復したポーランドのものとされ、ドイツは**領土を二分**されることとなりました。

フランスとの国境となるライン川流域・**ラインラント**は非武装地帯として軍を置くことが禁じられ、ドイツ人が住んでいる地域のみに縮小されたオーストリア共和国との合併も禁じられます。

懲罰的な内容を多く含むヴェルサイユ条約に対するドイツの反発は、やがてヒトラー率いる**ナチ党の台頭**につながっていきます。

ただ、それとは別に、ヴェルサイユ条約にはもうひとつ特徴的な内容が含まれていました。「**国際連盟**」に関する規約です。

ウィルソンが提唱した集団安全保障

1920年、世界初の国際機関「国際連盟」発足

「勢力均衡」から「集団安全保障」へ

同盟を軸にした勢力均衡

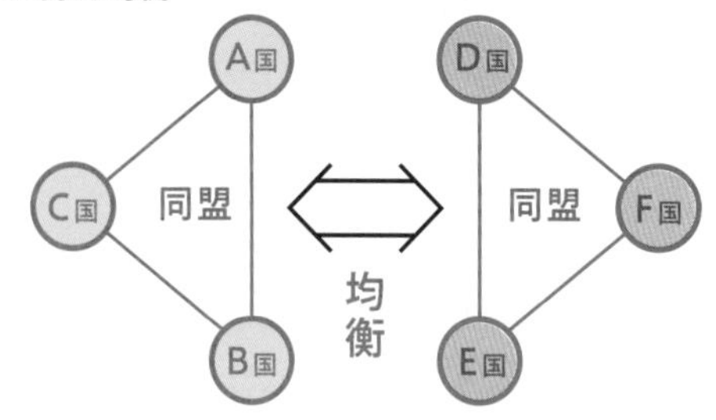

均衡を保つための軍拡競争が第一次世界大戦を引き起こした

国際連盟を軸にした集団安全保障

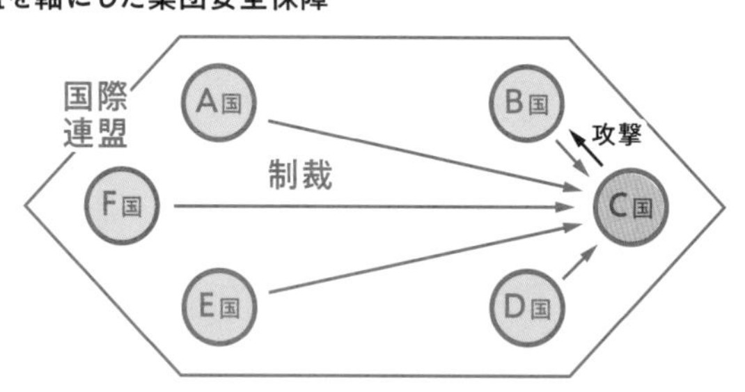

できるだけ多くの国が国連に加盟していないと機能しにくいのが欠点……

同盟頼みの国際協調からの脱却

パリ講和会議の翌年、1920年、アメリカ大統領ウィルソンが提案した国際平和機構が**「国際連盟」**という形で実現します。

国家間の同盟によって成り立つ国際関係が大戦を引き起こしたことを反省し、皆で**ひとつの組織に所属する**ことで、国際平和を実現できないかと考えたわけです。この考えを「集団安全保障」と呼びます。

連盟が平和を実現するためには、当然、参加国は1国でも多い方が良いわけですが、話はそう簡単には進みません。なんと提案者ウィルソンの母国・アメリカが議会の反対を受けて**不参加**を表明。さらに、ドイツやソヴィエト政権などの加盟が、当初認められなかったこともあって、連盟は不安定な状態での船出を強いられます。

結果として第二次世界大戦の勃発を止められなかった連盟ですが、それでも、スウェーデンとフィンランド、ギリシアとブルガリアの対立が戦争につながるのを防ぎ、オーストリアやハンガリーの財政支援体制を構築するなど、**いくつかの功績**を残したのも事実です。

平和の希求と次なる火種

平和を目指す動きはその後も続きます。25年には、イギリスやフランスがラインラントの不可侵やドイツの国連加盟などを認める**「ロカルノ条約」**を締結し、28年に成立した**「不戦条約」**にはアメリカやフランスを含む50以上の国が調印しました。

とはいえ、**民族紛争の火種**となる地域はまだまだ残っていました。列強による植民地支配も、国連によって統治を委任されるという形式で続いていきます。**ドイツが賠償に苦しむ**状態も解決されないまま、再び世界は不穏な空気に包まれ始めます。

パレスチナを巡る イギリスの暗躍

1922年、オスマン帝国が滅亡し、トルコ共和国が誕生する

イギリスの「三枚舌外交」

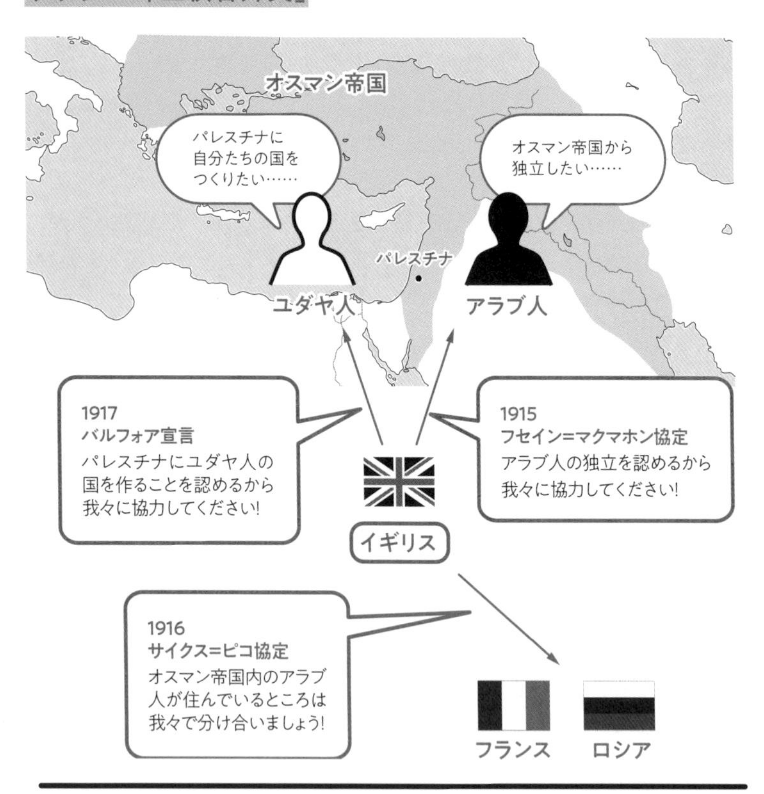

矛盾だらけのイギリスの約束

第一次世界大戦において、イギリスが、同盟国側についた**オスマン帝国の切り崩し**を進めます。現在の**パレスチナ問題**の原因ともなった、このときのイギリスの動きを確認しておきましょう。

約3000年前に**ユダヤ人の王国・**イスラエル王国が存在したパレスチナ地方は、このとき、オスマン帝国が支配する**アラブ人居住地域**となっていました。

1915年、イギリスはオスマン帝国内で独立を望んでいたアラブ人との間に、戦後の**アラブ人の独立を認める協定**を結びます。アラブ人たちに帝国の中で反乱を起こさせようとしたわけです。

しかし、その翌年、イギリスは、フランス・ロシアに対して、オスマン帝国内のアラブ人地域をお互いで分割し、パレスチナ地方に関しては**国際管理地域とすることを約束**します。

この時点ですでに矛盾が生じていますが、さらにその翌年、イギリスは**ユダヤ人にパレスチナでの国家建設を認める「バルフォア宣言」**を出します。ユダヤ人のパレスチナ帰還を支援するロスチャイルド財閥を味方につけるためだったと考えられています。

約600年続いたオスマン帝国の終焉

大戦後、戦勝国はオスマン帝国に領土の大部分の割譲を迫り、オスマン政府もこれを受け入れます。これに対し、大戦中に名声を挙げた軍人・**ムスタファ=ケマル**が立ち上がり、革命政権を樹立。帝国は滅亡し、現在の「**トルコ共和国**」が誕生しました。

結局、パレスチナは、国際連盟から統治を委任されるという形でイギリスが実質的な支配を続けます。**パレスチナへ移住しようとするユダヤ人**と、**現地に住んでいたアラブ人**との対立は、日に日に激しさを増していきました。

中国で燃え上がった ナショナリズムの炎

1919年、大規模な反日運動「五・四運動」、発生

中国国民党と中国共産党

大規模な反日運動に揺れる中国
2つの新たな勢力が誕生する

中国国民党 

1919年、孫文が中心となって作った政党。共産党との対立・協調を繰り返しながら日本と戦う。

孫文
辛亥革命で清を倒したのち、軍閥との政治抗争に敗れる。中国国民党を結成し、軍閥政府に抵抗するも、中国の統一を見ぬまま病死する。

蒋介石
孫文に見いだされ、国民革命軍を組織し、共産党や日本と戦う。軍閥政府を倒し、一時、中国を統一するも、戦後、共産党との内戦に敗れる。

［現在］
台湾の一大政党となっている。

中国共産党

1921年、コミンテルンの指導のもと、結成される。国民党の弾圧に耐えながら勢力を拡大していく。

陳独秀
文学革命と呼ばれる、儒教批判を含む思想面での革命の指導者として活躍する。マルクス主義に傾倒し、中国共産党の初代総書記となる。

毛沢東
地主の支配に苦しむ農民の支持を集めながら、地位を確立していく。戦後、中華人民共和国を建国し、国家主席として絶大な権力を振るう。

［現在］
中華人民共和国を指導する。

思惑が外れた中華民国政府

1912年に中華民国の成立を宣言した**孫文**は、国内最大の軍閥を率いる**袁世凱**との権力争いに負け、一時、日本に渡ります。

第一次世界大戦が始まると、その前の日露戦争で経済的に苦しくなった日本が、**大陸における勢力拡大**を狙って動き出します。

イギリスとの同盟に基づき、中国に駐留していたドイツ軍を攻撃したのち、中華民国政府に強引な内容を含む**「二十一カ条要求」**を突き付けた日本に対し、中国の人々は強い反感を抱くようになりました。

やがて、連合国側について第一次世界大戦に参戦した中国は、戦後、「二十一カ条要求」の取り消しなどを期待し**パリ講和会議**に臨みます。

しかし、列強からすると、中国の主張を受け入れることは、**他の植民地の要求を受け入れる**ことにつながりかねません。さらに、ソヴィエト＝ロシアに対抗するにあたって日本が存在感を示していたこともあって、中国の要求は受け入れられませんでした。

燃え上がる反日感情

1919年5月4日、中国で、暴動やストライキなどを伴う大規模な反日運動**「五・四運動」**が発生したのを受けて、中華民国政府はヴェルサイユ条約の調印を拒否せざるを得なくなります。

当時の政府に、外国による干渉を排除し、もう一度、自分たちの国を取り戻したいと願うナショナリズムを実現する力が残されていないことは明白でした。孫文は1919年のうちに**「中国国民党」**を組織し、革命を進めようとします。そしてその2年後、このあとの中国で勢力を拡大していくもうひとつの組織が産声を上げます。

「中国共産党」の誕生です。

日本の勢力拡大を警戒するアメリカ

1921-22年、アメリカ主導のワシントン会議が開催される

太平洋を巡り火花を散らす日米

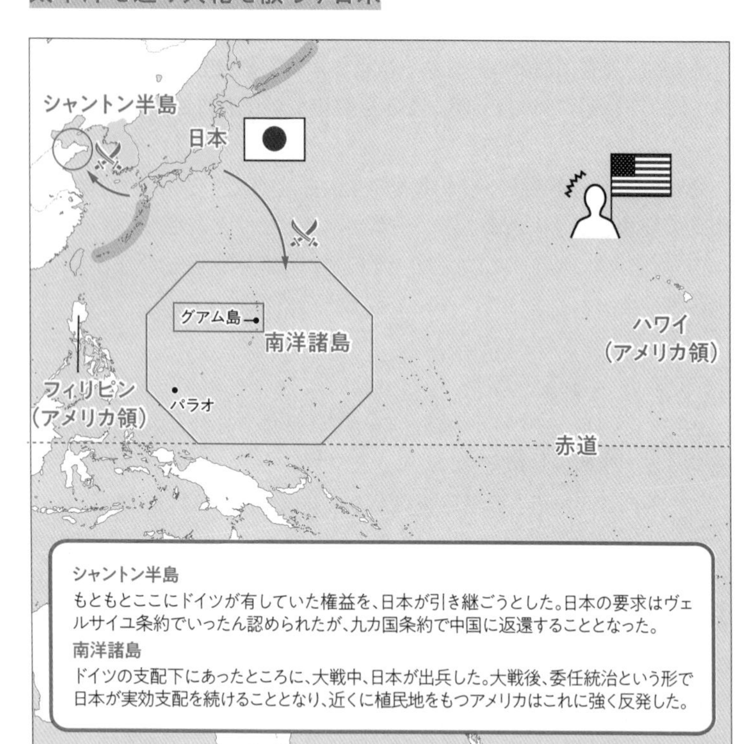

ワシントン会議で日本の無力化を図る

国際連盟には参加しなかったものの、**軍縮問題**や**太平洋・東アジアの情勢**についてイニシアチブを取りたかったアメリカは、1921年、9か国の代表をワシントンに集めます。

ワシントン会議では、まず、イギリスとドイツを中心とした建艦競争が大戦につながる要因のひとつになったことを踏まえ、米・英・日・仏・伊の**主力艦の比率**と、新たな**戦艦の建造をストップする**ことが決定されました。ちなみに、1930年のロンドン軍縮会議では、米・英・日の補助艦の比率も決められました。

中国に関しては、新たに「**九カ国条約**」が結ばれ、アメリカが戦前から主張していた中国の主権の尊重や門戸開放、機会均等、領土保全といった原則が確認されます。これによって日本は、**中国における権益の多くを失いました。**

また、太平洋の島々に関しては、日・米・英・仏が「四カ国条約」を結び、植民地支配や委任統治に関して、現状を維持することを認め合います。さらにアメリカは、イギリスと足並みを揃えるにあたって妨げとなりかねない日英同盟の破棄にも成功しました。

ドイツと日本の連盟脱退

このようにしてアメリカは、太平洋・東アジアにおける日本の勢力拡大を抑えることに成功し、列強もいったん軍縮の時代を迎えたかのように見えました。

ただ、この状態も長くは続きません。1933年には**ファシズム**が台頭しつつあったドイツと日本が相次いで**国際連盟を脱退**します。36年にはワシントンとロンドンで結ばれた海軍軍縮条約が共に失効し、列強は再び軍備拡張の時代に突入していきました。

不況下のイタリアでファシズムが生まれる

1922年、ムッソリーニ、「ローマ進軍」を決行し首相になる

「ファシズム」とは

語源

古代ローマで権威の象徴とされた「ファスケス」に由来する。束にした木の棒に斧をつけたもので、全体主義を表現するのに適していた。

特徴

個人の自由よりも国家の団結・人種での結束を重んじる。反共産主義の立場に立ち、政敵を暴力的に排除していく傾向があるが国民の生活にも一定の配慮を示す。

広がり

イタリアはもちろん、その後のドイツや日本の政権にもファシズム的な傾向が強く見られる。

現状に不満をもつ中間層はもちろん、反共産主義という面で一部の保守派にも支持され、世界各地で一定の広がりを見せた。

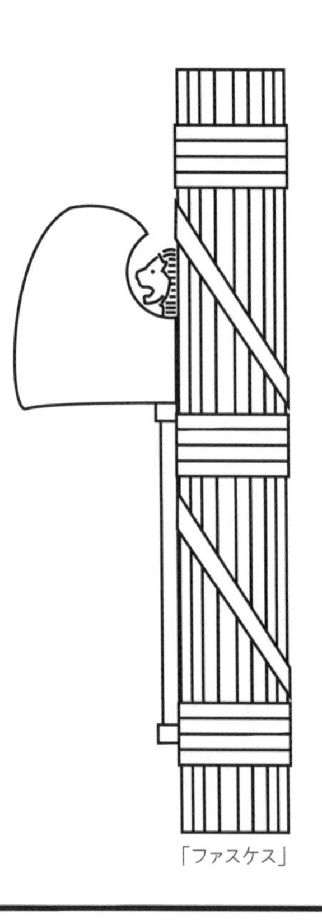
「ファスケス」

共産主義へのカウンター

第一次世界大戦前、イタリアはドイツ・オーストリアと同盟を結んでいました。しかし、イタリアとオーストリアの間には**「未回収のイタリア」**などを巡る争いがあったため、1915年、イタリアは連合国側について参戦し、戦勝国として大戦を終えます。

「未回収のイタリア」は回収されたものの、それ以上の領土拡大が認められなかったイタリアでは、深刻な不況に苦しむ労働者や農民による社会運動が増えていきました。

そういった社会運動を暴力によって押さえつけながら勢力を拡大していったのが**ムッソリーニ**でした。共産主義に反発する人々の支持を集めた彼は、1921年、**「全国ファシスト党」**を結成。翌22年には党の象徴である黒シャツに身を包んだ4万人の党員を集め、より強力な政府の樹立を国王に要求します。このクーデタを**「ローマ進軍」**と呼んでいます。

当時の政府はこれを鎮圧しようとしますが、なんと国王がその政府を止めます。国王がムッソリーニを**首相に任命**したことで、ムッソリーニとファシスト党による独裁政治が幕を開けました。

持たざる国がファシズムに走る

暴力を用いて議会主義や共産主義を抑圧し、国民生活を統制しながら目の前の危機を乗り越えようとする**「ファシズム」**の思想は、このあと**「世界恐慌」**という危機を養分にしながら世界各地に広がっていきます。

特に植民地や資源などを**「持たざる国」**であったドイツや日本では、ファシズム的な思想が当時の政権に強い影響を与えました。

賠償金によって危機に陥るドイツ経済

1923年、フランスとベルギーがドイツ最大の工業地帯を占領する

ドイツ、賠償の道のり

1919年	2月	ヴァイマル共和国成立
	6月	ヴェルサイユ条約にて、 ドイツに多額の賠償金が課せられることが決まる
1923年	1月	フランスとベルギー、 ドイツの支払い不履行を理由にドイツのルール地方を占領 インフレが進み、ドイツ経済が危機を迎える
	11月	ヒトラー、共和国政府に対してクーデタを起こすも失敗 逮捕される。(ミュンヘン一揆)
1924年		アメリカ資本の注入が決まり、ドイツ経済は一時、復興に向かう
1926年	9月	ドイツ、国際連盟に加盟
1929年	6月	アメリカ主導で賠償金の減額が決められる
	10月	世界恐慌
1930年		アメリカによる援助が止まり、失業者急増
1933年	1月	賠償金の支払い拒否を公約に掲げるヒトラー内閣が成立 ヴァイマル共和国の時代は実質的に終わりを告げる

当初、ドイツに課された賠償金は「天文学的な」額であった。フランスやイギリスは、ドイツが支払った賠償金を、大戦中にアメリカから借りた資金の返済に充てていたため、アメリカはドイツの支払いを援助する必要があった。

画期的な憲法に潜んでいた欠陥

大戦末期、戦局の悪化に苦しむドイツでは革命が発生し、皇帝の逃亡によって**ドイツ帝国は滅亡**しました。

1919年2月、議会制民主主義を重視する社会民主党が「**ヴァイマル共和国**」を誕生させます。

同年7月に制定された「**ヴァイマル憲法**」は、世界で初めて、人間が人間らしく生きることを保障する**社会権**に関する規定を盛り込んだ記念碑的な憲法です。ただ、同時に、**非常時に大統領に強権を与える**規定も含んでおり、この規定が後のナチ党による独裁につながったとも考えられています。

経済危機が救世主を求める

ヴァイマル共和国は、領土の割譲はもちろん、戦勝国が課した**莫大な賠償金**に苦しみます。1923年、フランスとベルギーは、賠償の遅延を理由に、ドイツ最大の工業地帯であった**ルール地方を占領**することまでしました。

この際、ルール地方の労働者たちがサボタージュによる抵抗を見せたため、ドイツの生産力は著しく低下します。賠償を進めるために政府が多額の紙幣を発行したこともあって、ドイツ国民は、貨幣の価値が下がり、物価が大幅に上昇する**大インフレ**に苦しめられました。

ドイツはアメリカ資本に依存しながら、なんとか賠償を履行していきますが、1929年に発生した**世界恐慌**によってアメリカからの援助が止まると、経済はいよいよ危機的状況を迎えます。数百万人の失業者が街にあふれ、社会が機能不全に近い状態に陥る中、国民の多くが**ひとりの人物に希望を託す**ようになります。

個人を抑圧して進む社会主義国家の建設

1922年、ソヴィエト連邦、成立

世界初の社会主義国家の誕生

1917年 ロシア革命（二月革命・十月革命）

1918年 同盟国と単独で講和し、第一次世界大戦から離脱するも、
社会主義勢力の拡大を恐れた
アメリカ、フランス、イギリス、日本との戦いが続く。（対ソ干渉戦争）

1921年 戦時共産主義が限界を迎え、
市場経済を一部導入する「新経済政策（NEP）」が始まる。

1922年 対ソ干渉戦争を耐えきったロシア共産党が
「ソヴィエト社会主義共和国連邦」を成立させる。

1924年 レーニン死去

1928年 スターリン、第一次五カ年計画を発表し、
重工業化と農業の集団化を進めていく。反対する農家は弾圧され、
飢餓による死者も多数発生したが、世界恐慌に苦しむ資本主義国の中には、
これを成功ととらえる人もいた。

1936年 ソ連において社会主義国家の建設が完了したと宣言する
「スターリン憲法」が制定される。

1939年 第二次世界大戦が始まる。

ソ連国旗

スターリン

レーニンの後継者争い

1917年、ソヴィエト政権を樹立した**レーニン**は、国内の革命を認めない勢力や、資本主義国からの攻撃に耐えながら、共産党の一党独裁体制を作り上げていきます。

19年には、共産主義革命を世界的に進めるための国際組織「**コミンテルン**」が成立。そして22年、ソヴィエト政権は、旧ロシア帝国から独立した**ウクライナ**や**ベラルーシ**といった国々と同盟を結び、ここに「**ソヴィエト社会主義共和国連邦**」が誕生します。

24年、レーニンが病死すると後継者争いが激化し、最終的に**スターリン**が実権を握ります。スターリンは、必要に迫られて部分的に市場原理を導入したレーニンの経済政策を否定し、ソ連一国を確たる社会主義国家とすることを目指す人物でした。

一党独裁のもとに突き進む

たしかに、社会主義国家にはメリットもあります。経済を国家の統制下に置いたソ連は、このあと発生する**世界恐慌によるダメージを回避**することに成功しました。

しかし、社会主義国家には、計画を立てる側の権力が大きくなりやすい、すなわち**独裁になりやすい**という傾向もあります。市場原理が機能しない中、指導者に逆らう者は排除されるため、指導者が判断を間違えた瞬間、生産性が大きく低下し、国民は飢えに苦しむことになります。

ソ連もこの例にもれません。反共産主義的なナチ党が台頭するドイツと、大陸進出を狙う日本。この両者に挟まれる形となったスターリンは、多くの犠牲者を出しながら、強引ともいえる**中央集権化**と**重工業化**を進めていきました。

PART 9

防げなかった二度目の世界大戦

【20世紀】

世界中に広がった大恐慌は、
ファシズムに侵されたいくつかの「持たざる国」に、
「他国から奪う」という選択をさせました。
人類が経験した二度目の世界大戦は、
そんな国のひとつであった日本の無条件降伏で終わりを告げます。

経済のブロック化が 2度目の大戦を招く

1929年、ウォール街の株式市場で株価が大暴落、世界恐慌へ発展

「持たざる国」は恐慌を乗り切れず

株価が高騰するウォール街で、貧しい靴磨きの少年までが投資の話をしているのを聞いて、この状態は長くはもたないと感じた投資家のエピソードが残っている。

世界恐慌

植民地や資源を…

持てる国

アメリカ
イギリス
フランス

それぞれの経済圏をブロック化し恐慌を乗り越える

持たざる国

イタリア
ドイツ
日本

危機に瀕して全体主義化し対外侵略を進める

経済大国を襲う株価の大暴落

1920年代、アメリカは本格的に**大量生産・大量消費社会**に移行し、世界一の**経済大国**となります。プロ野球やハリウッドが大衆娯楽となっていったのもこのころのことです。

この空前の繁栄に沸くアメリカを「**世界恐慌**」が襲います。1929年10月24日、国際金融の中心であったニューヨーク・ウォール街の株式市場で**株価が大暴落**。多くの企業や個人の資産が泡と消え、銀行には預金を引き出す人が殺到。工業生産も農産物価格も恐慌前の半分以下に縮小し、**労働者の4分の1近くが失業**します。

32年、大統領に選出された**フランクリン＝ローズヴェルト**は、**ニューディール**と呼ばれる一連の恐慌対策を進めます。政治はできるだけ経済に介入しないという、それまでの資本主義諸国の常識が崩れていったのも、世界恐慌がもたらした影響のひとつでした。

ブロック化する経済圏

世界経済の要であったアメリカの恐慌は、多くの国々に広がります。各国の**通貨に対する信頼が揺らぎ**、国家間の取引が成立しにくくなる中、アメリカやイギリス、フランスといった国々は、それぞれの植民地を含む経済圏を「**ブロック化**」します。

対外取引を制限し、ひとまずブロックの内側で生活を維持するのに必要な物資を流通させながら、経済の嵐が過ぎ去るのを待とうとしたわけです。

世界的に貿易が縮小する中、貿易がないと生きていけない国、すなわち植民地や資源を「**持たざる国**」は危機に瀕します。そういった国々が対外侵略に活路を見いだすまで、長い時間はかかりませんでした。

第二次世界大戦前夜②

満州は日本の生命線 関東軍による大陸侵攻

1931年、柳条湖事件を皮切りに満州事変が勃発する

対中戦線は泥沼の長期戦へ

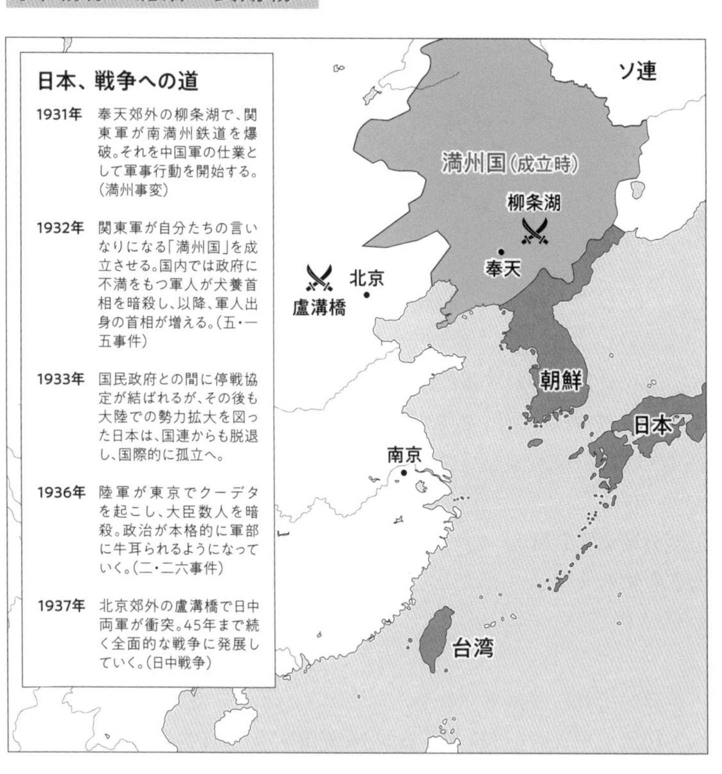

関東軍の暴走により満州国が誕生

第一次世界大戦中、**大戦景気**と呼ばれる好景気に沸いた日本でしたが、大戦が終わるとまた不況の時代が戻ってきます。**関東大震災**や世界恐慌をきっかけとする恐慌が立て続けに発生し、労働者は職を失い、農家は農産物価格の下落に苦しみました。

国民の政府への不満が高まる中、大陸に派遣されていた帝国陸軍・関東軍が、中国東北部・満州を「**日本の生命線**」とみなして侵略を開始します。

1931年9月から始まる関東軍の一連の軍事行動を「**満州事変**」と呼んでいます。日本政府が関東軍の動きを制御できずにいるまま、翌32年、関東軍は満州を中国から切り離し、自分たちの言うことを聞く「**満州国**」を成立させました。

一方、28年に中華民国の軍閥政府を倒して実権を握った**国民党**の**蒋介石**は、抵抗を続ける**共産党**との戦いを優先するため、関東軍に対しては、直接戦うのではなく、その横暴を国際連盟に訴えるという選択をします。

国連からの脱退と戦争の長期化

これを受けて国際連盟は、イギリス人リットンを責任者とする調査団を満州に派遣しました。満州における日本の権益を一定の範囲で認めつつも、**満州国の独立は認められない**とする国連の採択を不服とした日本は、**国連を脱退する**ことを決意します。

満州事変は33年に停戦協定が結ばれたことでいったん終了しますが、その後も日本軍による侵略行為は続きます。一方で、共産党も「**長征**」と呼ばれる大移動によって本拠地を移しながら、国民党に対する抵抗を続けていきました。

国民の支持を背景に独裁者となったヒトラー

1935年、ドイツが再軍備を宣言しラインラントに進駐する

大衆扇動術の達人

アドルフ=ヒトラー(1889-1945)

オーストリアの下級役人の家に生まれる。ウィーンの美術大学を2度受験するが失敗。第一次世界大戦が始まるとドイツ軍に志願し、西部戦線の塹壕で4年戦う。戦後、反社会主義・反ユダヤ的な思想に染まりながら、演説の才能を開花させ、ナチ党の党首となる。33年から34年にかけて独裁体制を築き、39年に第二次世界大戦の始まりとなるポーランドへの侵攻を開始。ホロコーストと呼ばれるユダヤ人の迫害・虐殺を続けながら戦争を進める。45年4月、ソ連軍が首都ベルリンに到達した知らせを受けて自殺。

小政党の党首から独裁者へ

世界恐慌の影響は、第一次世界大戦による賠償金に苦しんでいたドイツ・ヴァイマル共和国にも重くのしかかります。ドイツ経済を支えていたアメリカからの融資が途絶える中、国民はこの危機を打開してくれる**力強い政治家**の出現を望むようになります。

もとは地域の小政党であった**ナチ党**の正式名称は「**国民社会主義ドイツ労働者党**」です。名称のイメージとは異なり、反共産主義色の強いこの極右政党は、演説とプロパガンダに長けた**ヒトラー**を党首に据え、徐々に勢力を拡大していきました。

1933年に首相に指名されたヒトラーは、立法権を国会から政府に移し、**一党独裁体制**を確立していきます。政治の実権を手に入れたナチ党は、同年10月、日本に続く形で国際連盟を脱退し、軍備を拡張しやすい状態を整えました。

フランスとの国境で賭けに出る

国内での人気と国力の増強を背景に、35年、ヒトラーはひとつの「**賭け**」に出ます。再軍備を宣言し、翌年には非武装地帯とされていたフランスとの国境・**ラインラントに軍を進駐させた**のです。

ヴェルサイユ体制への挑戦ともいえるこの一連の行動は、フランスやイギリスの強硬な対応を引き起こす可能性があるという意味で賭けでした。しかし、結果としてフランスやイギリスは**抗議以上のことを行いませんでした**。

自分が賭けに勝ったことを知ったヒトラーは、その後、日本、そしてイタリアとの関係を構築しながら、次の目標に向かう準備を整えます。彼の次の目標は「ドイツ民族の統合」、すなわちオーストリアの併合、そしてさらにその**東方における勢力拡大**でした。

ファシズムに対抗する各国の人民戦線

1936年、スペインで人民戦線内閣に対するクーデタが発生

スペイン内戦・対立の構図

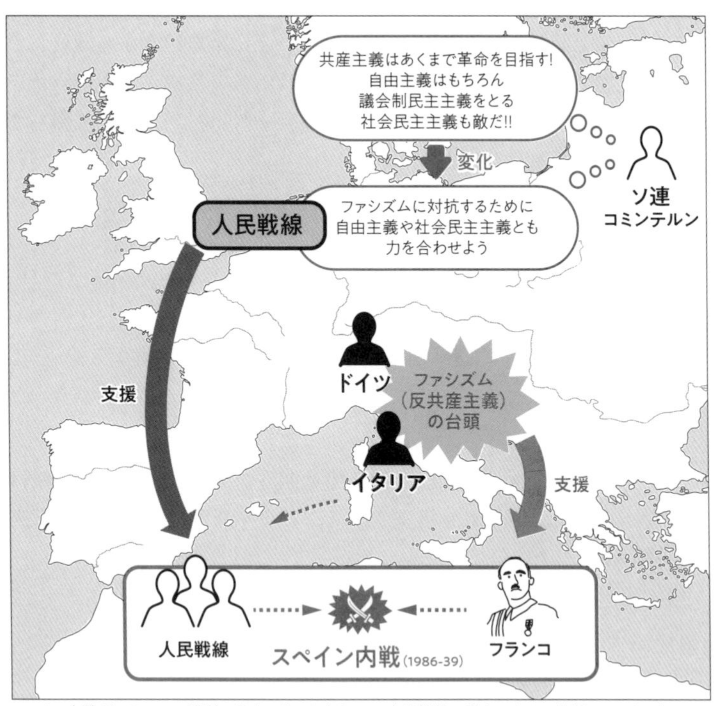

スペイン内戦がフランコの勝利に終わったこともあって、人民戦線の動きはすぐに後退してしまった。

ファシズムへの抵抗勢力として

世界各地でファシズム勢力が台頭したのを受けて、ファシズムに反対する「**人民戦線**」と呼ばれる動きが活発になっていきます。

この運動は、ファシズムに敵視されていた共産主義勢力が、それまで敵対していた**社会民主主義勢力**や**自由主義勢力**と手を組んでファシズムに対抗しようとしたもので、コミンテルンの呼びかけによって世界各地に広がっていきました。

たとえば、フランスでは1936年に社会党や共産党から成る**人民戦線内閣**が誕生します。わずか1年強の短命な内閣でしたが、現在もフランスに残る長期間の有給休暇などは、このときに制度化されたものだそうです。

スペイン内戦はフランコの勝利に

人民戦線の活動はスペインでも盛り上がりを見せます。1898年にアメリカとの戦争に敗れて以来、弱体化したスペインは、第一次世界大戦を中立の立場で乗り越えた後、王政から**共和政に移行**しました。

その後、選挙で人民戦線派が勝利すると、今度は**フランコ将軍**率いる軍が政府に対して反乱を起こします。

ファシズム国家である**ドイツとイタリアがフランコを支援**し、ソ連が人民戦線政府を支援したため、内乱は激しさを増していきます。紛争の拡大を避けたいイギリスとフランスが不干渉を決めたのもあって、内乱はフランコ側の勝利に終わります。

社会主義勢力同士の対立は根深く、世界的な人民戦線の動きはこのあとすぐに後退していきます。ただ、コミンテルンの呼びかけは**中国共産党**にも届いており、これが日本の侵略を受ける中国の動きに大きな影響を与えます。

一致抗日で結束した国民政府と共産党

1937年、日本軍と中国軍が全面衝突し日中戦争が始まる

泥沼化していく日中戦争

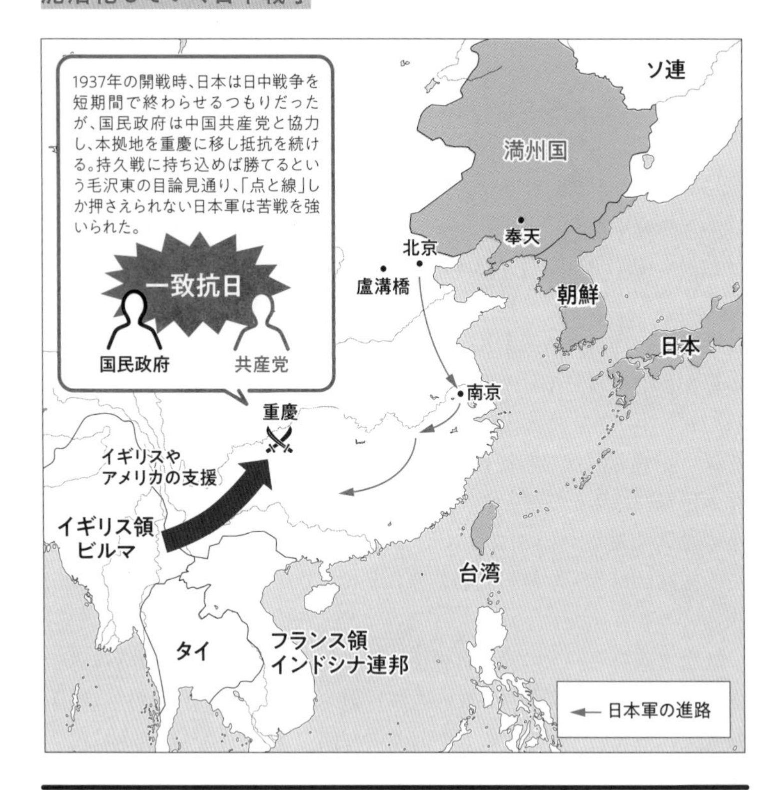

宿敵同士の共闘が実現

1935年、コミンテルンの人民戦線への呼びかけを受けた**中国共産党**は、**国民政府**に対して協力して日本に対抗しようと訴えます。

国民政府の指導者であった**蒋介石**は、当初、共産党の呼びかけに応えることを拒否していましたが、父親を関東軍に爆殺された張学良らが蒋介石を軟禁して彼の説得にあたります。

37年7月、大陸でのさらなる勢力拡大を狙う日本軍と中国軍が北京の盧溝橋周辺で衝突し、いわゆる「**日中戦争**」が始まると、ついに国民政府と共産党による「**一致抗日**」が実現しました。

とはいえ、しばらくの間、日本軍は進撃を続け、**国民政府の首都・南京**などの都市を占領していきます。捕虜や一般市民を多数殺害し、国際的な非難を浴びたのもこのときのことです。

戦後は中国共産党が勝利

開戦時、当時の日本の首相・**近衛文麿**は、南京占領によって戦争は終わると考えていたようですが、近衛自身が和平交渉の窓口を閉じたり、日本を警戒するイギリスやアメリカが中国の支援を始めたりしたこともあって、日中戦争は**泥沼化**していきました。

ちなみに、少し先の話になりますが、1945年に日本のポツダム宣言受諾によって戦争が終わると、国民政府と共産党の対立は再び激しくなり、**内戦に発展**します。

この戦いの中で優位に立った共産党の**毛沢東**は、1949年10月、現在の「**中華人民共和国**」の成立を宣言し、敗れた蒋介石率いる中華民国政府は台湾に逃れることとなりました。

英仏の譲歩を尻目に侵略を進めるドイツ

1938年、ミュンヘン会談において英仏がヒトラーに妥協

止まらない独裁者の野心

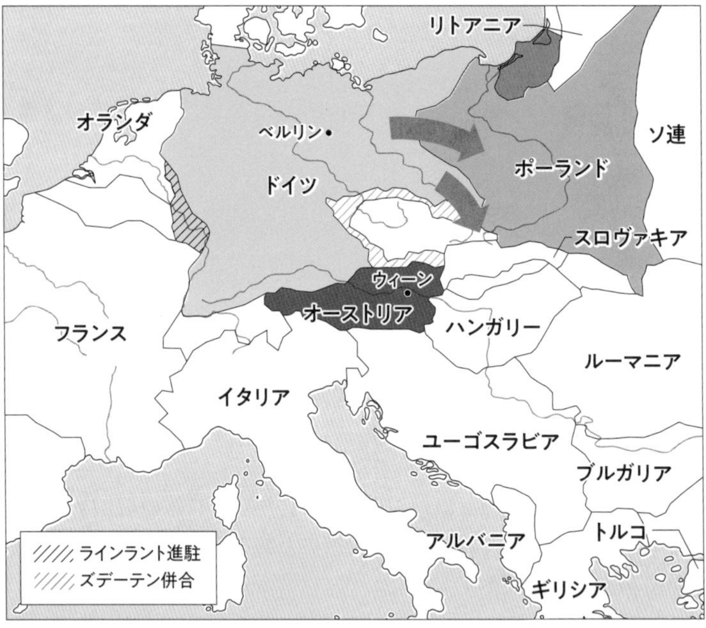

ドイツは1936年のラインラント進駐に対して、イギリスやフランスが激しく反発しなかったのを見て、1938年にオーストリアを併合、さらにズデーテン地方の割譲を要求した。ヒトラーが「最後の領土要求」としたため、イギリスやフランスはこれを認めたが、その後、ドイツはさらに東に支配域を拡大していく。

ズデーテン地方の割譲を要求

恐慌に苦しむ世界においてファシズムに侵されていったいくつかの国々は、**対外侵略**という手段で危機を打開しようとします。

1931年、満州事変を起こして中国への侵略を始めた日本に続き、35年にはイタリアが**アフリカ・エチオピアに侵攻**します。

そして、38年、ドイツも対外進出を始めます。手始めに**オーストリア**を併合したドイツは、続いて、**チェコスロバキア**のズデーテン地方をドイツ人居住者が多いという理由で要求します。

ミュンヘン会談でヒトラーと向き合ったイギリス、フランス、イタリアの代表は、チェコスロバキアの代表がいない状態で、**ヒトラーの要求を受け入れる**ことを決定します。

譲歩が裏目に出た宥和政策

当時のイギリスやフランスのファシズム国家に対する甘い対応は**「宥和政策」**と呼ばれ、第二次世界大戦を招いた一因として批判されることがあります。

その背景には、第一次世界大戦のような戦争を繰り返したくないという意識や、ヴェルサイユ条約がドイツにとって厳しすぎたのではないかという反省、さらには**ソ連に対抗するにあたってのドイツへの期待**などがあったと考えられています。

しかし、**譲歩はさらなる要求の拡大**を呼びます。ミュンヘン会談後、ヒトラーがズデーテン地方で満足せず、チェコスロバキアの他の領土も順次支配下に置いていったのを見て、いよいよイギリスもフランスも宥和政策に効果がないことを悟ります。

独ソの提携を経て第二次世界大戦始まる

1939 年、ドイツとソ連が呼応しポーランドへ侵攻する

独ソ双方の思惑が一致

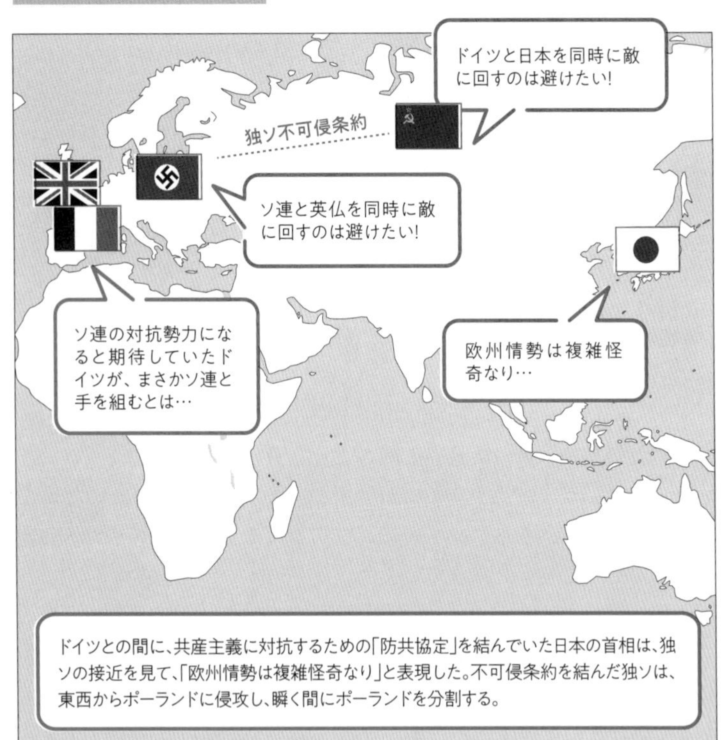

独ソ不可侵条約に世界が驚く

社会主義国であるがゆえに世界恐慌を免れたソ連は、スターリンの指導のもと、飢きんや粛清による犠牲者を出しながらも、**世界トップクラスの工業力**を手に入れます。

1939年5月、そのソ連軍と日本軍が満州とモンゴルの国境で衝突します。**ノモンハン事件**と呼ばれるこの戦闘で、日本軍は自らが敗北したと認識しますが、ソ連軍にも大きな被害が出ていました。

日本に対する警戒を強めたソ連は、**ドイツへの接近**を検討し始めます。ドイツに対して譲歩を続けたイギリスやフランスに対する反発もあったかもしれません。この接近はドイツにとっても悪い話ではなく、39年8月、両国は**不可侵条約**を締結します。

反共産主義・反ソ連だったはずのドイツとソ連の提携は、ファシズムとの戦いに身を投じていた社会主義者をはじめ、世界各国の人々に驚きをもって受け止められました。

瞬く間にポーランドが占領される

ソ連を脅威ととらえる必要がなくなったドイツは、39年9月1日、満を持して東の隣国・**ポーランドに侵攻**します。一般的には、この日をもって「**第二次世界大戦の始まり**」としています。

ドイツに呼応してソ連もポーランドへ軍を進めたのに対し、イギリスとフランスはドイツに宣戦布告はしたものの、**積極的な行動に出なかったため**、ポーランドはあっという間にドイツとソ連によって占領・分割されてしまいます。

翌40年、デンマークとノルウェーの占領にも成功したドイツ軍は、いよいよ**西側に転進**します。

2年にわたって続いたドイツ軍の快進撃

1940年、日本・ドイツ・イタリアの三国同盟が成立する

第二次世界大戦①

1939年後半　ドイツ軍とソ連軍がポーランドに侵攻し、これを分割。
日中戦争を続ける日本軍は、ノモンハンでソ連軍に敗れ、
大陸北部での勢力拡大を断念する。

1940年前半　デンマーク・ノルウェー・オランダ・ベルギーを支配下に置いたドイツ軍は6月、パリの占領に成功する。
ドイツ軍の快進撃を見て、開戦時、中立を表明していたイタリアがドイツ側について参戦する。

1940年後半　日独伊三国同盟が成立するも、
7月から9月にかけて行われたドイツ軍のイギリス本土上陸作戦は失敗に終わる。
同じころ、日本はフランス領インドシナ北部へ進駐する。

シャルル=ド=ゴール

国土の大部分をドイツに占領されたフランスでは、ヴィシー政府と呼ばれる臨時政府が作られた。この政府がドイツの言いなりになる政権であったこともあり、ロンドンに亡命した軍人・ド=ゴールは、別途亡命政府を樹立し、徹底抗戦を呼びかけた。

日本、ドイツと手を組むことを決める

西に転進したドイツ軍は、立て続けに**オランダ**、**ベルギー**を占領し、さらに**フランスの首都・パリを陥落**させます。フランス領の多くを支配下に置いたドイツ軍の次の目標はドーバー海峡の向こう側、イギリス本国でした。

一方、日中戦争を終わらせることができずにいる日本は、ノモンハンでのソ連軍との衝突と、独ソ不可侵条約を踏まえて、北方での勢力拡大を断念し、**東南アジア方面**に目を向けます。国内ではドイツと手を結ぶことに賛成する人々と反対する人々の対立が生まれます。

1940年に入り、ドイツがフランスを降伏させると、日本の軍部はドイツとの同盟に慎重だった当時の内閣を総辞職に追い込みます。そして、**ドイツ**と**日本**に**イタリア**を加えた**日独伊三国同盟**が成立します。

東へ転進するドイツ軍

日本には、快進撃を続けていたドイツとの同盟が、**アメリカに対する牽制**になるのではないかという淡い期待もあったようです。

しかし、その期待に反し、日本が**フランスの植民地**であったインドシナ北部（現在のベトナム北部）に軍を送ったのを受け、**フィリピンを植民地にしているアメリカ**は日本への対決姿勢を強めていきます。

さらに、日本にとって都合の悪いことに、同盟結成と前後してドイツ軍の快進撃が止まります。新たにチャーチルを首相に据えたイギリスが、ドイツ軍による本土攻撃の阻止に成功したのです。

ドーバー海峡越えは難しいと判断したドイツ軍は、東に向きを変え、**不可侵条約を結んだはずのソ連を攻撃する**準備を始めます。

連合国と日本の戦いが幕を開ける

1941 年、日本がハワイの真珠湾を奇襲

第二次世界大戦②

1941年前半	3月、アメリカは「武器貸与法」を成立させ、 イギリスや中国の支援を本格的に開始する。 4月、南方へ侵攻したい日本は、ソ連との間に中立条約を結ぶ。 6月、ドイツが独ソ不可侵条約を破ってソ連に侵攻、独ソ戦が始まる。
1941年後半	8月、アメリカとイギリスが「大西洋憲章」を発表し、 ソ連もこれを支持したことで、 「ファシズム国家対連合国」の構図が形成されていく。 12月、日本が真珠湾攻撃を実施し、 日本とアメリカを中心とする連合国の戦いが始まる。
1942年前半	日本は東南アジア・太平洋方面へ進撃を続けたが、 6月、ハワイの西側、ミッドウェー島付近で行われた海戦で、 空母4隻を失う大敗北を喫し、戦局は暗転する。

真珠湾攻撃

アメリカ国内では依然としてヨーロッパの紛争から距離を置くべきであるという意見が根強かった。日本による真珠湾攻撃は、参戦に積極的だった大統領・フランクリン=ローズヴェルトにとって、格好の口実となった。

ファシズム 対 資本主義・共産主義

不可侵条約を結んでいたとはいえ、ドイツの動きを警戒していたソ連は、1941年4月、なんと今度は**日本との間に中立条約**を結び、ドイツの対応に集中できる状態を作ります。

同年6月、ドイツ軍が独ソ不可侵条約を一方的に破ってソ連に侵攻します。**独ソ戦**の始まりです。ドイツに対抗するためにソ連がイギリスと軍事同盟を結んだことで、**「資本主義国と共産主義国が手を組んでファシズム国家と戦う」**という構図が出現します。

一方、40年9月にベトナム北部に軍を進めた日本は、翌41年7月、南部にも踏み込んでいきます。これを受けて8月、当時日本にとって最大の石油輸入国であったアメリカが、日本に対する**石油の輸出をストップ**。さらに11月、中国や東南アジアからの完全撤退などを求める**「ハル＝ノート」**を突き付けます。

日本の快進撃は緒戦のみ

これに対して日本はついにアメリカとの戦争を決意。41年12月8日、ハワイの真珠湾の米軍基地を奇襲し、ここにいわゆる**「アジア・太平洋戦争」**が始まります。さらに、日独伊三国同盟の規定に沿ってドイツとイタリアもアメリカに宣戦布告します。

当初は、アメリカやイギリスがヨーロッパ戦線を重視していたのもあって、日本軍は快進撃を続けます。日本は、**西欧諸国による植民地支配からの解放**を唱えて、東南アジア・西太平洋に勢力を拡大していきますが、42年6月の**ミッドウェー海戦における大敗**をもって戦局は一転します。

以後、45年8月の**ポツダム宣言受諾**まで、日本軍はほぼ一方的に防戦を強いられることになりました。

二度目の世界大戦は日本の降伏で終わる

1945年8月、日本、ポツダム宣言を受諾し無条件降伏

維持できなかった広大な戦線

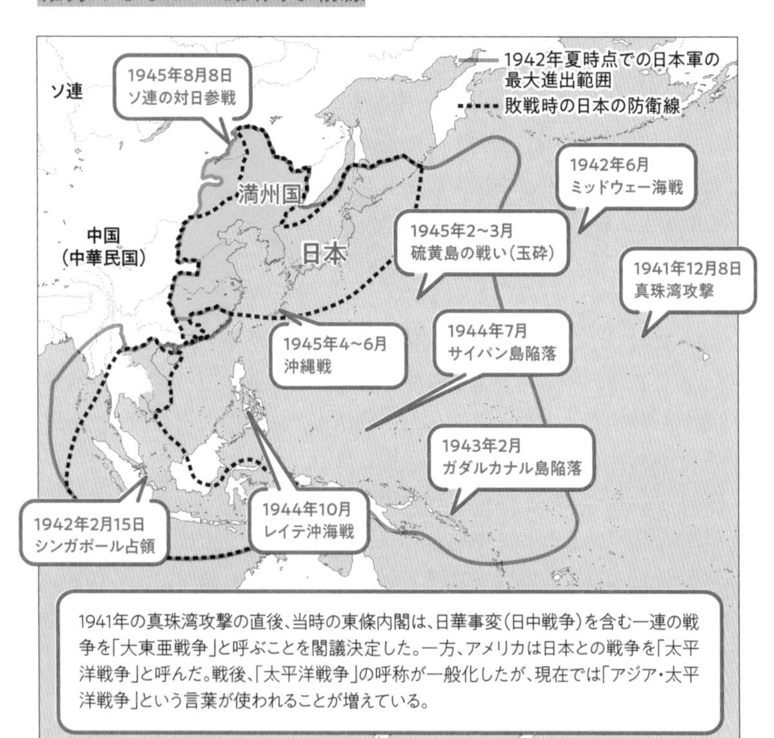

1941年の真珠湾攻撃の直後、当時の東條内閣は、日華事変(日中戦争)を含む一連の戦争を「大東亜戦争」と呼ぶことを閣議決定した。一方、アメリカは日本との戦争を「太平洋戦争」と呼んだ。戦後、「太平洋戦争」の呼称が一般化したが、現在では「アジア・太平洋戦争」という言葉が使われることが増えている。

ドイツの敗北とヒトラーの死

1942年1月、アメリカやイギリス、ソ連、中国など26の国が**「連合国共同宣言」**に署名し、いずれの国も枢軸国（＝ドイツ・日本・イタリア）と単独で講和を結ばないことを確認し、結束を強化します。

翌43年2月、厳冬の**スターリングラード攻防戦**において、ソ連軍がドイツ軍を破り、独ソ戦の勝敗を決定づけます。44年6月には連合国軍がフランス・ノルマンディ海岸に**決死の上陸作戦**を実施し、フランスをドイツの支配から解放していきました。

43年7月、連合国軍はシチリア島への上陸に成功し、これを受けてイタリア国王はムッソリーニを罷免、降伏します。45年4月には、ベルリンをソ連軍に包囲された**ヒトラーが自ら命を絶ち**、ドイツも無条件降伏。残るは日本だけ、という状況になります。

戦後を見据えたソ連の対日参戦

45年に入り、日本の各都市への無差別爆撃を本格化させた連合国軍は、4月から6月にかけて沖縄を攻略。8月6日と9日には広島と長崎にそれぞれ**原子爆弾を投下**します。

8月14日、日本は無条件降伏を求める**ポツダム宣言を受諾**し、15日、天皇がそれを国民にラジオ放送で伝えます。9月2日、東京湾に浮かぶ戦艦・ミズーリ号の上で日本政府の代表が降伏文書に調印し、長い戦争は終わりを告げました。

ちなみに、8月8日に日ソ中立条約を一方的に破棄して満州や千島列島への**侵攻を開始したソ連軍**は、日本がポツダム宣言を受諾した8月15日以降も戦闘を継続し、多くの人命を奪いながら南樺太や朝鮮半島北部、そして現在の北方四島などを占領していきました。

PART 10

冷戦を経てなお対立は続く

【20世紀～21世紀】

二度の大戦を経験した世界を待ち受けていたのは、
「冷戦」という新たな対立の構図でした。
多くの人が平和を願っているはずの世界において、
COVID-19という「共通の敵」を前にしても対立を続ける人類は、
このあと、どこに向かおうとしているのでしょうか。

連盟の反省を踏まえて生まれた新国際機関

1945年10月、国際連合が発足する

国際連合の主要機関

発足時、安全保障理事会の常任理事国は、アメリカ・ソ連・イギリス・フランス・中華民国であった。現在は、ソ連に代わりロシアが、中華民国に代わり中華人民共和国が、それぞれ権利を行使している。

国際連合の特徴

1945年10月、第二次世界大戦の勃発を防げなかった国際連盟に代わる新たな国際機関として**「国際連合」**が発足します。

国際連合の中で、特に中心的な役割を果たす機関は、全加盟国が参加する**「総会」**と、5つの常任理事国と10の非常任理事国から成る**「安全保障理事会」**です。

安全保障理事会の常任理事国となったアメリカ・ソ連・中国・イギリス・フランスには、**「一国だけで採択を否決できる権利」**である**「拒否権」**が付与されます。

早くも二大大国の対立が表面化

大戦中、アメリカやイギリスは、日本やドイツといった枢軸国と戦う同志として、ソ連との協調を重視していました。しかし、同盟国という共通の敵が倒れると、大戦の中で大きな役割を果たした**米ソの対立**が激しさを増していきます。いわゆる**「冷戦」**の始まりです。

冷戦下の世界において、この両国が拒否権をもつ安全保障理事会は、頻繁に機能不全に陥るようになっていきます。

国際連合は**51の原加盟国**から始まり、2021年現在では**193の国が加盟**しています。192番目の加盟国はモンテネグロ、193番目の加盟国は南スーダンです。日本は、1956年、ソ連との国交回復をきっかけに**80番目の加盟国**として国際連合に加わりました。

「国際連合」は英語で“United Nations”と表記されますが、これは**「連合国」**と訳すこともできる言葉です。国連の憲法ともいうべき「国際連合憲章」には、大戦の敗戦国を**「敵国」**と呼ぶ条項が含まれており、今もなお削除されるに至っていません。

アメリカ中心の新たな国際経済秩序

1945年12月、世界経済はブレトン＝ウッズ体制に移行する

大戦の反省を踏まえた移行

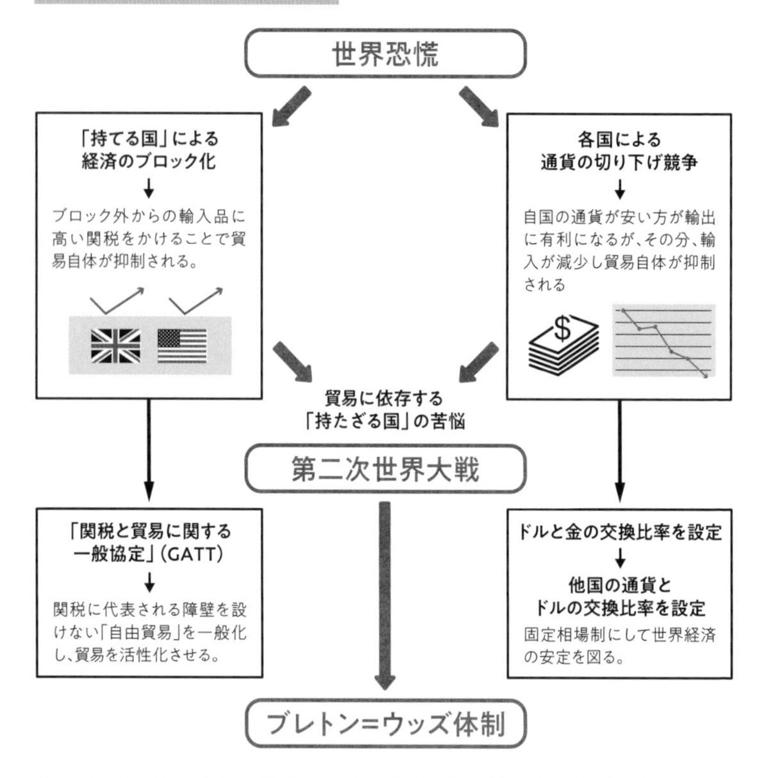

ドルが国際経済の基軸通貨に

まだ戦争が続いている1944年7月、連合国の代表がアメリカ・ブレトン＝ウッズに集まり、国際経済に関する会議が開かれます。ここでの合意に基づいて、45年12月、**国際通貨基金（IMF）**と**国際復興開発銀行（IBRD）**が発足します。

これらの組織を中心に構築された「**ブレトン＝ウッズ体制**」は、「ドル」を軸とする国際経済体制でした。当時、世界の金の大半を手にしていたアメリカが、**ドルと金の交換を保証した**ことで、ドルが国際経済における基軸通貨としての地位を手に入れます。

この「**金・ドル本位制**」に基づくブレトン＝ウッズ体制は、ベトナム戦争などによる不況に苦しめられたアメリカが、金とドルの交換を停止する71年まで維持されました。世界経済が現在の**変動相場制**に移行したのは、さらにそのあとのことです。

ブロック化の反省から自由貿易が拡大

また、戦後の国際経済については、アメリカが**自由貿易の拡大**を推進したことも無視できません。自由貿易とは、**関税**に代表される国内の産業を輸入品から保護するための措置を、できるだけ排除した状態で行われる貿易のことです。どちらかといえば「**輸出したいもの/できるもの**」をもつ国に有利なシステムです。

ブロック外からの輸入品に高い関税をかける**ブロック化**が、日本やドイツなどを追い詰めたことに対する反省もあって、国際社会はアメリカの意見を受け入れ、47年に自由貿易を推進するための「**関税と貿易に関する一般協定（GATT）**」が成立します。GATTは95年に発展的に解消され、「**世界貿易機関（WTO）**」となって現在に至ります。

米ソの対立が世界を二分していく

1947年、トルーマン=ドクトリンが表明され冷戦が本格化する

冷戦における対立の構図

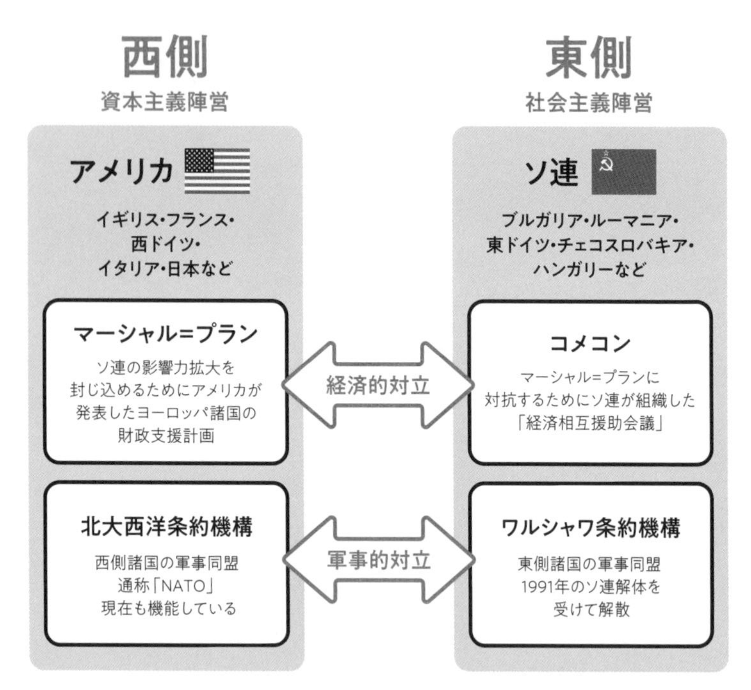

アメリカとソ連は、直接戦火を交えることなく、世界各地で代理戦争を進めていった。この対立の煽りを受けて、ドイツや朝鮮、ベトナムは、国土自体が2つに分かたれることとなった。

ソ連が各国の共産党を支援

大戦において独ソ戦を戦い抜いた**ソ連**と、日本との戦いを主導し、ヨーロッパ戦線においても重要な役割を果たした**アメリカ**の存在感は、戦後、非常に大きなものとなりました。

スターリンによる独裁が続くソ連は、東ヨーロッパの**ブルガリア**や**ルーマニア**に親ソ系の政権を誕生させ、さらに西ヨーロッパ各国の共産党を支援し、勢力を拡大していきます。

これに対し、アメリカ大統領トルーマンは、1947年3月、アメリカとソ連の対立を**「自由主義と全体主義の対立である」**と断じる**「トルーマン=ドクトリン」**を表明し、「冷戦」と呼ばれる対立が本格化していきました。

両陣営による軍事同盟が結成される

同年6月、アメリカは、ヨーロッパ諸国の復興を経済的に支援する計画**「マーシャル=プラン」**を発表し、社会主義の拡大を封じ込めようとします。これを受けてソ連は、47年には**「コミンフォルム（共産党情報局）」**、さらに49年には**「コメコン（経済相互援助会議）」**を結成して対抗します。

世界は軍事的にも二分されていきます。49年にはアメリカ側、すなわち西側の軍事同盟**「北大西洋条約機構（NATO）」**が誕生し、それに対抗する形で55年にはソ連側・東側の軍事同盟**「ワルシャワ条約機構」**が成立します。

アメリカによる「封じ込め」政策は必ずしもうまくいきません。49年9月にはソ連が原子爆弾の実験に成功し、10月にはアジアにて社会主義の大国**「中華人民共和国」**が誕生。冷戦はいよいよ激しさを増していきました。

朝鮮半島で衝突するアメリカと中国

1950年、朝鮮戦争が始まる

朝鮮半島が日本に与えたさまざまな影響

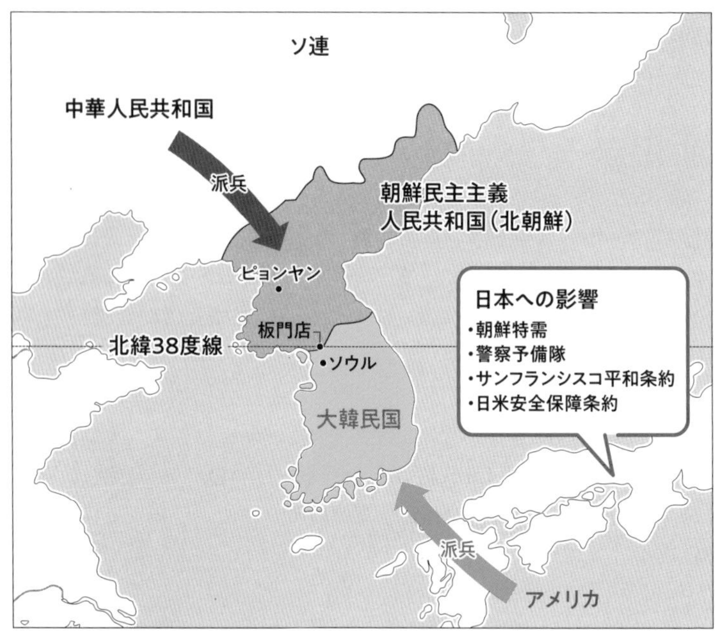

ソ連は北朝鮮の直接的な支援を中国に任せた。冷戦下の世界において中国は東側陣営に属するが、中ソの関係は必ずしも良好ではないことに注意が必要。日本で占領政策の指揮をとっていたマッカーサーは、北朝鮮軍を押し返すため、在日米軍を中心とした国連軍を組織して自ら朝鮮半島に上陸した。

中国とアメリカがそれぞれ背後に

終戦に伴い東アジア情勢も大きく動きます。中国では、日本と戦うために一時的に手を結んだ**国民政府**と**共産党**の対立が再び激しさを増していきます。

最終的に内戦に勝利した共産党の**毛沢東**は、49年10月に「**中華人民共和国**」の成立を宣言し、国民政府は台湾に逃れることになりました。

日本の支配から解放された朝鮮半島は、ソ連とアメリカによって分断される形で占領され、48年にアメリカ側の「**大韓民国**」とソ連側の「**朝鮮民主主義人民共和国**」に分かれて独立します。

そして50年、北朝鮮の韓国侵攻により「**朝鮮戦争**」が始まります。この戦争は、すぐに北朝鮮を支援する中華人民共和国と、韓国を支援するアメリカの対立を深めるものとなっていきました。

日本の戦後史の起点に

戦闘自体は53年に休戦協定が結ばれることでいったん落ち着きますが、この戦争は**隣国・日本**に大きな影響を与えます。

まず、アメリカ軍が戦争に必要な物資を日本から調達したため、日本に**特需**が訪れ、戦後の**経済復興の起爆剤**となります。また、日本を占領していた米軍を朝鮮半島に送るため、GHQは日本に**再軍備**を要求し、自衛隊の前身となる「**警察予備隊**」が発足します。

翌51年には、日本と連合国の講和会議・サンフランシスコ平和会議が開かれ、日本の**国際社会への復帰**が決まります。同日、米軍の日本駐留を継続するための「**日米安全保障条約**」も締結され、日本は西側諸国の一員として冷戦下の世界に組み込まれていきました。

冷戦下で進んだヨーロッパ統合の動き

1952年、EUのルーツとなるヨーロッパ石炭鉄鋼共同体が成立

欧州6か国による統合の動き

1952年
ヨーロッパ石炭鉄鋼共同体
石炭と鉄鋼を共同管理することで加盟国の平和維持と経済発展を図る

1958年
ヨーロッパ経済共同体
加盟国の経済面での統合を目指す

1958年
ヨーロッパ原子力共同体
米ソに対抗し、協力して原子力の開発を進める

1967年
ヨーロッパ共同体(EC)
3つの組織が統合され、途中、イギリスなどが加盟し、80年代には12か国体制となる。

1993年
ヨーロッパ連合(EU)
ソ連の消滅やドイツの統合などを踏まえECを発展的に解消させる形で成立した。東ヨーロッパ諸国の加入も進み、2021年現在、27か国が加盟している。

1999年
共通通貨ユーロ導入
2021年現在、19か国が利用

2020年
イギリス、EUを離脱

資源の共同管理から統合に発展

1949年、連合国によって分割占領されていたドイツは、アメリカ側の**西ドイツ（ドイツ連邦共和国）**とソ連側の**東ドイツ（ドイツ民主共和国）**に分かれて独立することになりました。なお、東ドイツにあった都市・ベルリンも東と西に分割され、米英仏が共同で管理する西ベルリンは陸の孤島のような状態に置かれました。

アメリカのマーシャル＝プランによる支援もあり、西ドイツを含めたヨーロッパの西側諸国の経済復興は比較的順調に進んでいきます。

52年、フランスと西ドイツを含む6か国による「**ヨーロッパ石炭鉄鋼共同体**」が発足します。これは、ヨーロッパの歴史において多くの戦争の火種となってきた**石炭と鉄鋼の共同管理を目的**とした組織でした。これらに関わる産業の大部分が集中していた西ドイツは一定の抵抗を見せますが、結果としてこれは、ヨーロッパ統合に向けた大きな第一歩となります。

EU成立につながるもイギリスは離脱

これら6か国は、続いて「**ヨーロッパ経済共同体**」、そして「**ヨーロッパ原子力共同体**」を結成し、67年にはこれら3つの組織を統合した「**ヨーロッパ共同体（EC）**」が成立します。現在の「**ヨーロッパ連合（EU）**」の前身となる組織です。

これまで無数の戦争を繰り広げてきたヨーロッパ諸国の統合への動きを受けて、イギリスも73年にECに加盟します。

ただ、イギリス国内には大陸と一定の距離を置くべきだという意見も根強く、**国民投票の結果**に基づき、2020年1月、**イギリスはEUを離脱**しました。加盟国間の経済格差や移民の問題などを抱えるEUが今後どこへ向かうのか、引き続き注目されます。

米ソの首脳が核戦争を目前で回避

1962年、ソ連のミサイル基地建設を巡り、キューバ危機が発生

アメリカの目と鼻の先で起きた危機

繰り返される緊張と緩和

冷戦と呼ばれる、アメリカを中心とする**西側諸国**とソ連を中心とする**東側諸国**の対立は、**緊張**と**緩和**を何度も繰り返します。

1953年、ソ連では、独裁者スターリンの死去に伴い、言論の自由などが一時的に拡大する「**雪どけ**」が訪れます。新たな指導者・**フルシチョフ**は西側諸国との平和共存を模索します。

また、55年にはインドネシアで**アジア=アフリカ会議**が開催されます。これは、ヨーロッパの植民地支配から独立しつつあったアジアやアフリカの国々が、アメリカ側とソ連側のいずれにも属さない「**第三世界**」を形成しようという試みでした。

ただ、対話ムードも長くは続きません。**インドと中国のチベットを巡る争い**が激化し、第三世界形成の試みは早くも後退。61年にはドイツにおいて分断の象徴ともいえる「**ベルリンの壁**」が建設され、62年には「**キューバ危機**」が発生します。

あと一歩で核戦争に至っていた

キューバはアメリカの南東、カリブ海に浮かぶ島国です。59年に革命が発生し、**アメリカの目と鼻の先にある社会主義国**となりました。そのキューバにソ連の援助でミサイル基地が建設されそうになったのをアメリカが阻止しようとしたのが、キューバ危機と呼ばれる事件です。冷戦下の世界において、**米ソがもっとも核戦争に近づいた**といわれる瞬間です。

キューバ危機は、アメリカがソ連のキューバにおけるミサイル基地建設阻止に成功する形で決着がつきました。ただ、このように冷戦下の世界で各地の紛争への介入を続けるアメリカは、やがてひとつの手痛い失敗に直面することになります。「**ベトナム戦争**」です。

ベトナム戦争はアメリカの敗北に終わる

1965年、北ベトナムへの爆撃（北爆）が開始される

超大国・アメリカの挫折

東南アジアにおける社会主義の拡大を阻止するため、アメリカがベトナムに出兵。
10年近い戦闘の末、アメリカは敗北し、ベトナムは社会主義政権によって統一された。

繰り返し介入を受けるベトナム

南北に分けられた朝鮮や東西に分けられたドイツと同じように、ベトナムもまた、**冷戦下の世界において分断**されます。

長らくフランスが**植民地支配**を続けていたベトナムは、大戦中、**日本軍による侵攻**を受けました。1945年に日本が降伏すると、再度、**フランスが植民地支配の復活**を狙って動き出します。

社会主義者・**ホー＝チ＝ミン**を指導者とするベトナムはフランスとの戦いに勝利しますが、今度は社会主義勢力の拡大を警戒する**アメリカの介入**を受けます。アメリカが南部に親米政権を誕生させたことで、ベトナムは**南北に分断**されてしまいました。

アメリカは、65年から**北爆**と呼ばれる北ベトナムへの爆撃を開始し、**ベトナム戦争**は宣戦布告なきまま泥沼化していきます。

敗戦による様々な影響

世界各地やアメリカ国内で**反戦運動**が盛り上がりを見せる中、アメリカがようやく撤退を決断したのは73年のことでした。その後、ベトナムは**北ベトナム主導で統一**されます。

ベトナム戦争によってアメリカが負ったダメージは、その後の世界に大きな影響を与えました。経済的に苦しくなったアメリカは、ブレトン＝ウッズ体制の基盤となっていた金とドルの交換停止を決断し、世界経済は現在の**変動相場制**に移行していきます。

さらに、アメリカが東側諸国との関係改善を模索し始めたことで、フランス語で「**緊張緩和**」を意味する「**デタント**」と呼ばれる時期が訪れます。特にアメリカ大統領**ニクソン**による中華人民共和国の訪問は、世界に驚きをもって受け止められました。

中国とソ連の対立でニクソン訪中が実現

1972年、アメリカ大統領ニクソンが訪中し毛沢東らと会談

冷戦の構造の変化

苦境に立たされるアメリカ

・長引くベトナム戦争
・統合されつつある西ヨーロッパや日本の台頭がもたらしたドルの地位の低下

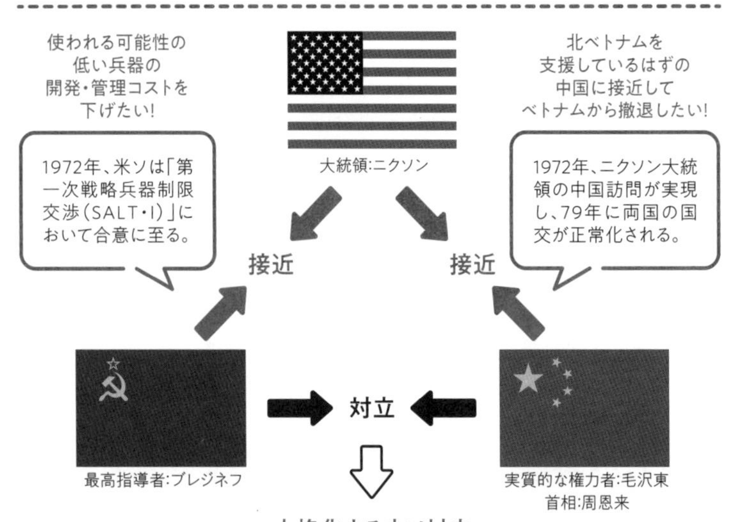

本格化する中ソ対立

1962年のキューバ危機におけるソ連の譲歩を毛沢東が批判したり、69年には国境で軍事衝突したりするなど、50年代から70年代にかけて、中ソは同じ社会主義国でありながら、激しく対立する。

毛沢東による数々の失政

1949年に誕生した中華人民共和国は、朝鮮戦争において間接的にアメリカと戦ったのち、ソ連にならって**重工業の発展**と**農業の集団化**を進めていきます。

ただ、同じ社会主義国とはいえ、中ソの仲もけっして良好ではありません。特に、フルシチョフが西側との「平和共存」を模索し始めると、毛沢東がこれに反発し、**中ソの対立**は徐々に激しさを増していきます。キューバ危機においてフルシチョフが譲歩したことも、毛沢東の批判の対象となりました。

さらなる国力増強を図りたい毛沢東は、58年から**「大躍進」**と呼ばれる政策を進めますが、これにより中国では数千万人規模の餓死者が発生。毛沢東は**国家主席の座を退く**ことになります。66年に始まり、国内外を混乱に陥れた**「文化大革命」**は、彼が政敵の排除と権力の奪還を目指して引き起こした大衆運動です。

敵の敵は味方

69年、中ソの対立が激しくなってきたのを受けて、中国は**アメリカとの関係改善**を検討し始めます。このころ、アメリカも、ベトナム戦争を終わらせるため、北ベトナムの支援に回っている中国に接近したいと考えており、**両者の利害が一致**します。

71年には国連総会が中華人民共和国の代表権を認め、台湾政府を追放する決議を採択。翌72年、アメリカ大統領**ニクソンが中国を訪問**したことで、中華人民共和国は国際社会において大きな存在感を示すようになりました。同年、日本も中華人民共和国との国交を正常化させました。

76年に毛沢東が亡くなると、代わって権力を握った**鄧小平**らの手によって、中国は**資本主義経済の一部導入**に踏み切ります。

石油危機を契機に広がる新自由主義

1973年、第四次中東戦争から第一次石油危機が発生

「小さな政府」と「大きな政府」

自由重視

小さな政府

「市場原理」を信頼し、政府は経済にできるだけ介入しない。

税金を減らす代わりに、福祉も減らす。

各種規制は緩和され、国の事業の民営化が進む。

競争原理に基づいた経済成長が期待できる反面、格差が拡大する。

平等重視

大きな政府

政府が積極的に経済に介入する。

税金を増やす代わりに、福祉も充実させる。

国が積極的にお金を使って失業者を減らし、需要を創出する。

格差が縮小する反面、競争原理が弱まり、経済成長率が鈍る傾向がある。

イギリスの戦後処理が残した禍根

第一次大戦中、イギリスが、**ユダヤ人とアラブ人に、それぞれ矛盾した約束をした**こともあり、第二次大戦後、パレスチナ地域におけるユダヤ人とアラブ人の対立はいっそう激しくなっていきます。

1948年、ユダヤ人がパレスチナ地域にユダヤ人の国・**イスラエルの建国を宣言**すると、両者の対立は戦争に発展しました。

73年に起きた第四次中東戦争の際には、アラブの国々が、アメリカを中心とする親イスラエルの国々にダメージを与えるために、石油の減産と価格の引き上げを実施します。これが「**第一次石油危機**」の正体です。

79年にはイランで、イスラーム原理主義者が親米政権を倒す革命が勃発し、石油生産量が激減。「**第二次石油危機**」が発生します。

大きな政府から小さな政府へ

2度の石油危機や、アメリカによるドルと金の交換停止などを受けて、この時期、多くの先進国の経済が**低成長期**に突入します。

財政赤字に苦しむ先進国では、世界恐慌以来主流となっていた、**国が積極的にお金を使って公共事業や社会保障を充実させていく**ことで、失業者を減らし、景気を良くしていこうとする政策に批判の声が高まります。

それに代わって支持を集めたのが、「**小さな政府**」を志向する「**新自由主義**」と呼ばれる思想でした。70年代末から80年代にかけて、アメリカのレーガン大統領やイギリスのサッチャー首相、そして日本の中曽根首相といった指導者が、この思想に基づき、**規制緩和や国営企業の民営化**などを積極的に進めていきました。

アフガン派兵がソ連崩壊の序章になる

1979年、ソ連がアフガニスタンに軍事介入

中央アジアと南アジアの間に位置するアフガニスタン

今度はアフガニスタンで代理戦争

アメリカがベトナム戦争という失態を犯す中、ソ連もまた停滞の時代を迎えたため、70年代に入ると、冷戦は米ソが歩み寄りを見せる**「デタント」（緊張緩和）**という局面に突入します。

デタントはヨーロッパでも進みます。主にフランスと西ドイツが東側諸国との関係改善を図り、ひとつの成果として、**東西ドイツの国連への同時加盟**が実現しました。

しかし、このデタントも長くは続きません。1979年、アフガニスタンで**親ソ系の政権**と**反政府ゲリラ**の対立が激しくなると、ソ連が軍事介入を断行。これに対してアメリカがゲリラ側を支援したことで、米ソの対立は再び激化していきます。

このときアメリカの支援を受けたゲリラの中に、2001年の9・11同時多発テロの首謀者・**ウサマ＝ビン＝ラディン**がいたのは有名な話です。アメリカは他国で憎しみの炎を煽りながら、やがて反米テロリストとなる人々を育てていたことになります。

ゴルバチョフによる「再建」

このソ連のアフガン出兵は徐々に泥沼化し、まるでアメリカにとってのベトナム戦争のように**ソ連の国力を落としていきます。**

そのような状況で、80年代半ば、新たに54歳の若さでソ連の最高指導者に就任したのが**ゴルバチョフ**でした。

就任後、すぐにアメリカ大統領**レーガン**との対談を実現させたゴルバチョフは、ロシア語で「再建」を意味する**「ペレストロイカ」**と呼ばれる数々の改革を断行していきます。

改革の果てのソ連崩壊
冷戦が終結する

1989年、ゴルバチョフ書記長とブッシュ大統領がマルタで会談

ペレストロイカがもたらしたもの

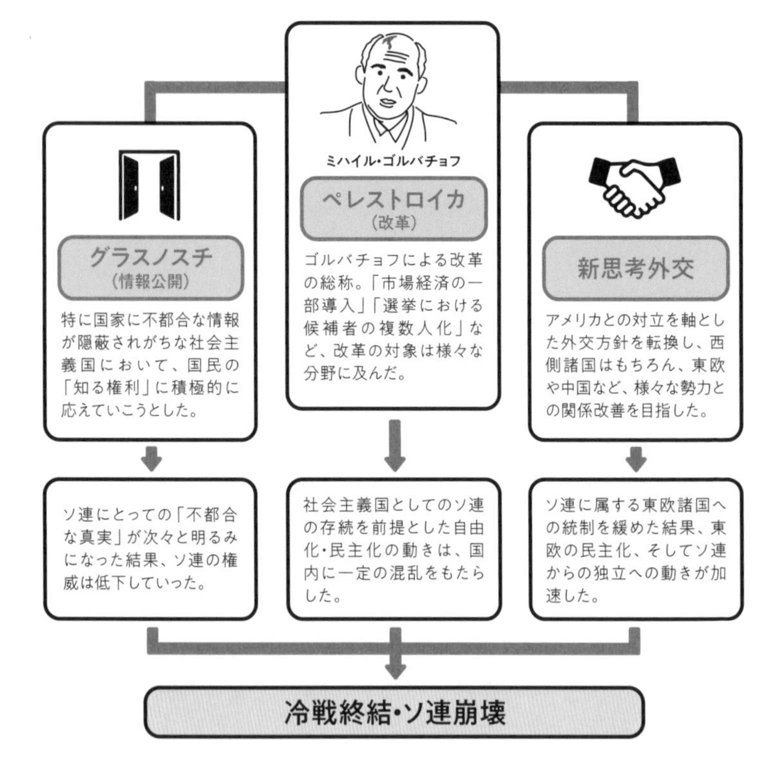

冷戦の象徴だった「壁」が崩れる

アフガニスタンにおける戦争はもちろん、主にアメリカとの軍拡競争にかかる**軍事費**や、東欧の**社会主義諸国への干渉**にかかるコストは、確実にソ連の財政を悪化させていきました。

軍事費の削減に向け、ゴルバチョフはアメリカ大統領レーガンとの対談を重ね、1987年には**中距離核戦力（INF）全廃条約**の締結を実現させます。さらにその翌年には泥沼化していた**アフガニスタンからの撤退**を決断しました。

ソ連は東欧諸国に対しても、干渉を緩める決断をします。ただ、それにより東欧では、おそらくはゴルバチョフの想定をはるかに上回るスピードで**脱・社会主義化**が進んでいきました。その象徴となったのが、89年11月の**「ベルリンの壁」**の崩壊でした。

冷戦終結＝平和ではなく

89年12月、ゴルバチョフはアメリカ大統領**ブッシュ（父）**と地中海のマルタ島付近で会談し、**「冷戦の終結」**を宣言します。翌年には**東西ドイツが統一**され、いよいよ誰の目にも時代が変わりつつあることが明らかになっていきました。

そして91年12月、ソ連に属する**ロシア**、**ウクライナ**、**ベラルーシ**の首脳が、新たに「独立国家共同体（CIS）」の創設に合意したことで、**「ソ連」というまとまりは実質的に消滅**することになります。

ソ連を構成していた15の国家のうち、最大のロシア共和国は**ロシア連邦**と名を変え、ソ連の国際的な権利を継承します。ソ連によるたがが外れた周辺地域では、**民族や宗教を巡る争い**が噴出し、冷戦の終結は必ずしも世界に平和をもたらすものとはなりませんでした。

宗派や資源で紛争が続くイスラーム世界

2003年、大量破壊兵器の所持を口実にアメリカがイラクに侵攻

平和が訪れない中東情勢

中東におけるいくつかの紛争

1980-1988	**イラン=イラク戦争** 米ソの支援を受けたイラクとイランの戦争。長期化し、両者痛み分けで終わった。
1991	**湾岸戦争** クウェートに侵攻したイラクを、アメリカが多国籍軍を組織して攻撃した。
2001	**9・11同時多発テロ** テロののち、テロリストを匿ったとして、アメリカはアフガニスタンに侵攻した。
2003	**イラク戦争** アメリカがイラクに「大量破壊兵器保持の疑いあり」として侵攻し、フセイン政権を倒した。
2021	**アフガニスタン撤退** アメリカがアフガニスタンから撤退。

アフガニスタン
イラク
イラン
クウェート
サウジアラビア

多国籍軍によるイラク攻撃

1979年、イランで革命が発生し、**イスラーム・シーア派の政権**が誕生します。この政権はもともと反米政権でしたが、ソ連のアフガニスタン侵攻を受け、反ソ的な姿勢も見せるようになります。

イランの隣国・イラクにおいて、**スンナ派を支持基盤とするフセインが大統領**の座に就くと、フセインは米ソ両国の支援を得て、シーア派のイランに戦争を仕掛けます。この「**イラン=イラク戦争**」が長期化する中、負債を抱えたイラクは、90年、産油国である隣国・**クウェートに侵攻**します。

イランのイスラーム政権を弱体化させるためにフセインを支援していた米ソでしたが、ここにおいて両国とも、**フセインを止める**ことで意見が一致します。アメリカは、安全保障理事会の決議に基づいて多国籍軍を組織し、「**湾岸戦争**」が始まります。

イラク軍は多国籍軍に敗北しますが、穏健派といわれた当時のブッシュ（父）大統領は、**フセイン政権の存続**を許します。

同時多発テロ清算の標的に

この湾岸戦争の「続き」ともいえるのが2003年の「**イラク戦争**」です。2001年のイスラーム過激派による**9・11同時多発テロ**を受けて、**ブッシュ（子）**が大統領を務めるアメリカは、テロの首謀者を匿ったとされるアフガニスタンを空爆したのち、大量破壊兵器の所持を口実に**イラクに侵攻**。フセインは捕らえられ**処刑**されました。

この戦争によってイラクの存在感は小さくなり、現在の中東は**イランとサウジアラビア**を中心に目まぐるしく情勢が変化する状況を迎えています。

大国化する中国を巡る数々の国際問題

2020年、中国共産党が香港国家安全維持法を成立させる

中国が抱える諸問題

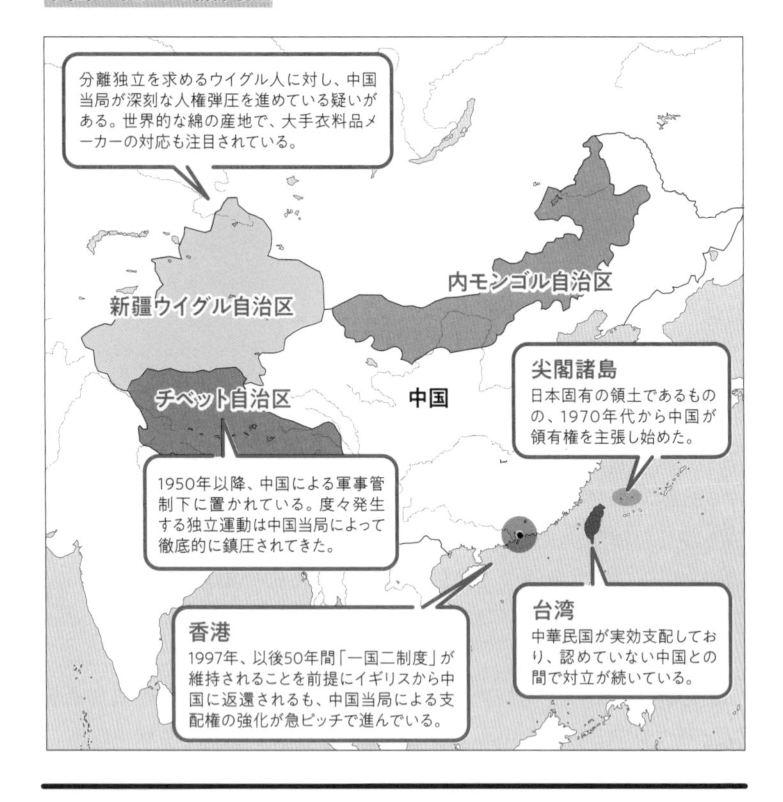

ソ連に代わり大国化

1991年に崩壊したソ連に代わって、国際社会において大きな存在感を示すようになったのが**中華人民共和国**です。

毛沢東と**周恩来**亡きあと、最高指導者の地位は、**鄧小平**、**江沢民**、**胡錦涛**、そして**習近平**に引き継がれていきます。彼らはそれぞれ、権力の集中と市場経済の導入を進め、中国の国内総生産は2010年に日本を抜いて**世界第2位**となりました。建国当時、**5億人から6億人**といわれた人口は、2021年の時点で**14億人**を超えています。

中国の大国化に伴い、中国とアメリカとの対立が激しさを増しています。**対中貿易赤字**に苦しむアメリカは、2018年から19年にかけて中国からの輸入品に対する関税の引き上げを実施。中国もこれに対抗する形で関税を引き上げ、「**米中貿易戦争**」と呼ばれる事態に発展しました。

国内に抱える民族問題

関税の引き上げ合戦自体は、2020年に入っていったん落ち着きを見せましたが、アメリカ大統領が**トランプ**から**バイデン**に替わったあとも、米中の激しい対立は続く見通しです。

2020年、中国政府は「**香港国家安全維持法**」を制定し、1997年にイギリスから返還された香港における民主化運動の弾圧を強化する姿勢を見せました。**COVID-19**との戦いにおいては、台湾のWHO参加への反対姿勢が問題視されました。

香港や**台湾**、**ウイグル**や**チベット**といった地域との関係や、南シナ海や東シナ海における支配域拡大に向けた中国の動きが今後どのような方向に向かうのか、注目が集まります。

おわりに

最後まで読んでくださった皆様、ありがとうございました。

それぞれの時代に各地域を支配していた勢力を追うことに集中したところ、現代に近づくにつれて、ほとんど戦争の話になってしまい、夢も希望もない終わり方になってしまいました。

ただ、それこそが無視できない世界の現実で、だからこそ「平和」というものは、けっして当たり前のものではない、得がたい貴重なものなのだと思い知らされます。

歴史の学び方・掘り下げ方にも「流行」のようなものがあります。「グローバル・ヒストリー」という言葉を耳にされたこともあるかもしれません。近年では、世界史を各国史の寄せ集めとしてではなく、地球規模でとらえていこうという動きが活発化しています。その背景には、西洋中心になりがちな史観を見直していくべきだという思想もあるようです。気候や植生、ウィルスなど、対象を人類以外に広げて歴史をとらえることに挑戦する論文や書籍も増えました。

そういった視点に立つと、本書は「各国史の寄せ集め」の域を出るものにはなっていません。全体に占める西洋史の割合も多いです。ただ、初めて世界史に触れる方が大まかにでも世界史の「全体像」を手にすることができるよう、同時代の「横のつながり」を意識させてくれる出来事には、字数が許す限り触れるよう努めました。離れた国や地域の出来事同士の前後関係をとらえやすくするために、各ページを時系列順に並べることにもこだわりました。

この本で初めて「世界史」に触れられた方には、これでも情報量が多く感じられたかもしれませんが、この本に収められた情報は「世界史」という、広くて深く、そして興味深い世界の、ほんの入り口にすぎません。この本が、皆様が今後さらに知識を増やし、思考を深めていくための良き踏み台になるよう願っています。

最後に、本書を手に取ってくださったすべての方と、すばる舎編集部の吉本様はじめ、本書の制作に関わってくださったすべての方に心からの御礼を申し上げて、終わりの言葉とさせていただきます。

ありがとうございました。

〈参考文献〉

『詳説世界史研究』(山川出版社)
『詳説世界史図録』(山川出版社)
『最新世界史図説タペストリー』(帝国書院)
『世界史年表・地図』(吉川弘文館)
『世界の歴史 大図鑑(コンパクト版)』(河出書房新社)
『マオ―誰も知らなかった毛沢東』ユン チアン/J・ハリデイ、土屋 京子訳(講談社)
『オスマン帝国―繁栄と衰亡の600年史』小笠原弘幸(中公新書)
『外交』ヘンリー・A.キッシンジャー(日本経済新聞出版)
『世界史のなかの昭和史』半藤一利(平凡社)
『中世ヨーロッパ:ファクトとフィクション』ウィンストン・ブラック、内川勇太・大貫俊夫他訳(平凡社)
『二つの世界大戦』木村靖二(山川出版社)
『グローバル・ヒストリー入門』水島司(山川出版社)
『B.C.220年 帝国と世界史の誕生』藤井崇、宮嵜麻子、宮宅潔(山川出版社)
『1187年 巨大信仰圏の出現』(山川出版社)
『文字の歴史』ジョルジュ ジャン、高橋啓・矢島文夫訳(創元社)

〈著者紹介〉

馬屋原吉博（うまやはら・よしひろ）

◇—中学受験専門のプロ個別指導教室SS-1副代表。中学受験情報局「かしこい塾の使い方」主任相談員。
大手予備校・進学塾で、大学・高校・中学受験の指導経験を積み、現在は完全1対1・常時保護者の見学可、という環境で中学受験指導に専念している。開成、灘、桜蔭、筑駒といった難関中学に、数多くの生徒を送り出す。

◇—必死に覚えた膨大な知識で混乱している生徒の頭の中を整理し、テストで使える状態にする指導が好評。バラバラだった知識同士がつながりを持ち始め、みるみる立体的になっていく授業は、生徒はもちろん、保護者も楽しめると絶大な支持を得ている。
授業の受講は中学受験生・保護者応援サイト「SS-1テラス」から申し込み可能。

◇—著書に『頭がよくなる 謎解き 社会ドリル』（かんき出版）、『中学受験 見るだけでわかる社会のツボ』（青春出版社）、『今さら聞けない！政治のキホンが2時間で全部頭に入る』（すばる舎）、『カリスマ先生が教える おもしろくてとんでもなくわかりやすい日本史』（アスコム）などがある。

今さら聞けない！ **世界史のキホンが2時間で全部頭に入る**

2021年10月26日　第1刷発行
2024年 9 月30日　第2刷発行

著　者———馬屋原吉博

発行者———徳留慶太郎

発行所———株式会社すばる舎

東京都豊島区東池袋3-9-7 東池袋織本ビル　〒170-0013
TEL　03-3981-8651（代表）　03-3981-0767（営業部）
http://www.subarusya.jp/

印　刷———ベクトル印刷株式会社

落丁・乱丁本はお取り替えいたします

ISBN978-4-7991-0975-5